매스티안

구성과 특징

STEP1 문제인식

창의적 문제해결력 특강의 첫 번째 단계로, 주제에 대한 탐구로 문제를 인식하는 단계입니다.
학생들이 탐구하기에 좋은 주제, 최근 이슈가 되고 있는 주제, 발명 아이디어로 창의성을 기르는 주제 등 다양한 주제로 구성하였습니다.

STEP 1 문제인식

속력을 줄여 주는 낙하산

낙하산은 고장난 비행기에서 안전하게 탈출하기 위한 도구 또는 스포츠로서 고안되었다. 그러나 지금은 사람뿐 아니라 보급품과 장비를 안전하게 떨어뜨리는 데도 쓰이며 왕복 우주선이 지구 대기권으로 들어온 후 속도를 늦추기 위해서도 쓰인다.
최초의 낙하산은 1470년 이탈리아에서 만들어진 것으로 오늘날 파라솔을 들고 뛰어 내리는 것과 거의 차이가 없는 수준이였다. 현재 사람이 매고 사용하는 낙하산은 1911년부터 개발되기 시작하였다.
스카이다이빙(skydiving, 고공강하)은 낙하산을 매고 항공기나 기구 등을 이용하여 높은 하늘에 올라간 뒤에 그곳에서 뛰어내린 후, 자유롭게 떨어지면서 계획한 동작을 수행하고 정해진 높이에서 낙하산을 펴고 땅에 안전하게 내려오는 항공스포츠이다. 스카이다이빙은 1961년 미군에 의해 우리나라에 처음 도입되었다.

40

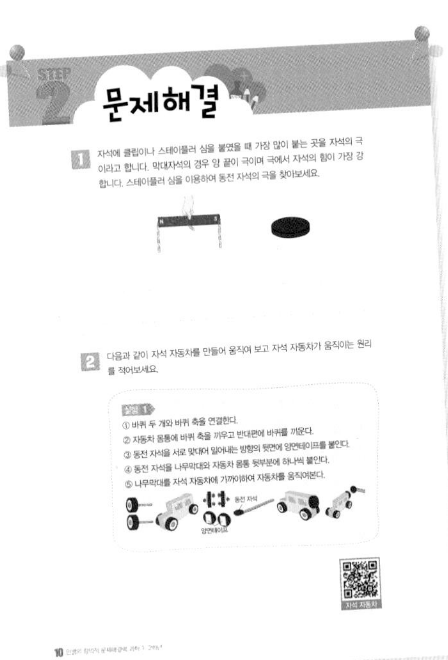

STEP 2 문제해결

1 자석에 클립이나 스테이플러 심을 붙였을 때 가장 많이 붙는 곳을 자석의 극이라고 합니다. 막대자석의 경우 양 끝이 극이며 극에서 자석의 힘이 가장 강합니다. 스테이플러 심을 이용하여 동전 자석의 극을 찾아보세요.

2 다음과 같이 자석 자동차를 만들어 움직여 보고 자석 자동차가 움직이는 원리를 적어보세요.

실험 1
① 바퀴 두 개와 바퀴 축을 연결한다.
② 자동차 몸통에 바퀴 축을 끼우고 반대편에 바퀴를 끼운다.
③ 동전 자석을 서로 맞대어 밀어내는 방향의 뒷면에 양면테이프를 붙인다.
④ 동전 자석을 나무막대와 자동차 몸통 뒷부분에 하나씩 붙인다.
⑤ 나무막대를 자석 자동차에 가까이하여 자동차를 움직여본다.

10

STEP2 문제해결

창의적 문제해결력 특강의 두 번째 단계로, 문제로 인식한 부분을 해결하기 위한 단계입니다.
문제해결을 위한 과학적 탐구를 하고, 문제해결을 위한 실험 가설을 세우고 탐구 계획서를 작성하도록 구성하였습니다. 추천Tip. 탐구 수행 및 결과를 통해 창의적 문제해결력을 향상시킬 수 있습니다.

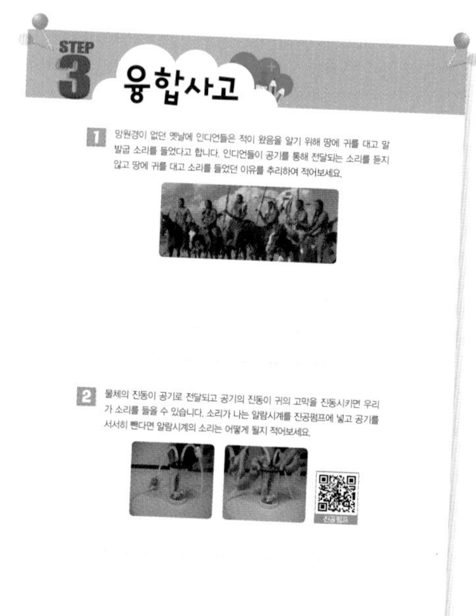

STEP 3 융합사고

1 망원경이 없던 옛날에 인디언들은 적이 왔음을 알기 위해 땅에 귀를 대고 말발굽 소리를 들었다고 합니다. 인디언들이 공기를 통해 전달되는 소리를 듣지 않고 땅에 귀를 대고 소리를 들었던 이유를 추리하여 적어보세요.

2 물체의 진동이 공기로 전달되고 공기의 진동이 귀의 고막을 진동시키면 우리가 소리를 들을 수 있습니다. 소리가 나는 알람시계를 진공펌프에 넣고 공기를 서서히 뺀다면 알람시계의 소리는 어떻게 될지 적어보세요.

34

STEP3 융합사고

창의적 문제해결력 특강의 세 번째 단계로, 문제해결을 위한 탐구 수행 후 보완할 부분을 찾는 문제, 탐구 결과를 더 향상시키는 방법을 찾는 문제, 문제해결에 활용한 과학 개념을 실생활에 적용해 보거나 더 연구하고 싶은 부분을 융합적으로 사고할 수 있는 문제로 구성하였습니다.

탐구보고서

창의적 문제해결력 특강의 네 번째 단계로, 앞에서 진행한 문제인식, 문제해결, 융합사고의 내용을 탐구보고서로 작성하는 단계입니다. Step1 문제인식은 탐구 주제의 내용으로, Step2 문제해결은 탐구 문제(가설), 탐구 방법, 탐구 결과, 탐구 결론의 내용으로, Step3 융합사고는 탐구에 대한 나의 의견(고민 및 아쉬운 점, 느낀 점, 새로 알게 된 점, 더 연구하고 싶은 점)의 내용으로 작성할 수 있도록 구성하였습니다.

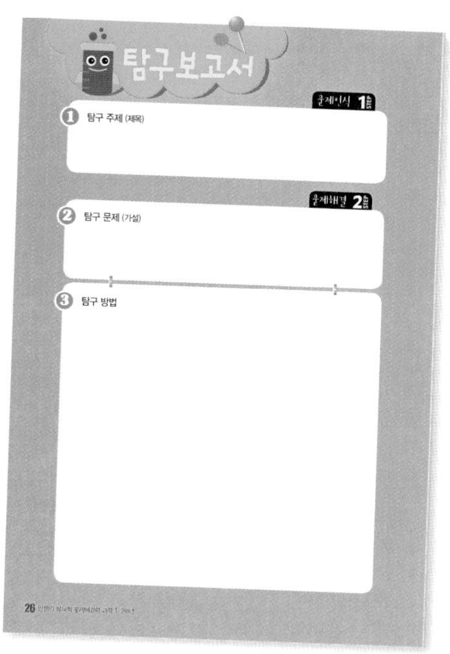

탐구보고서

문제인식 1단계

① 탐구 주제 (제목)

문제해결 2단계

② 탐구 문제 (가설)

③ 탐구 방법

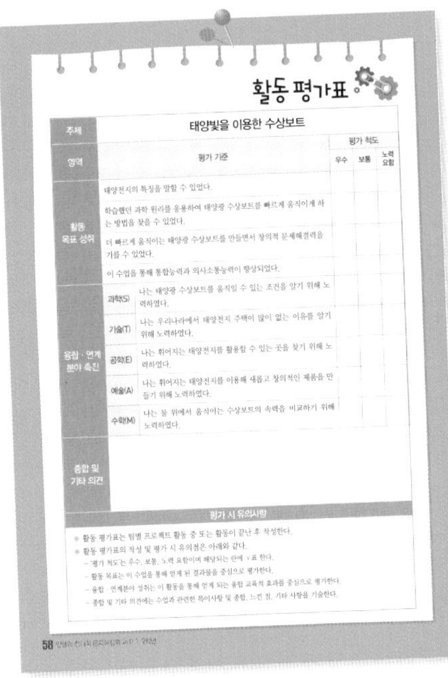

활동 평가표

주제	태양빛을 이용한 수상보트				
영역	평가 기준		평가 척도		
			우수	보통	노력 요함
활동 목표 성취	태양전지의 특징을 말할 수 있었다.				
	학습했던 과학 원리를 응용하여 태양광 수상보트를 빠르게 움직이게 하는 방법을 찾을 수 있었다.				
	더 빠르게 움직이는 태양광 수상보트를 만들면서 창의적 문제해결력을 기를 수 있었다.				
	이 수업을 통해 통합능력과 의사소통능력이 향상되었다.				
융합·연계 분야 촉진	과학(S)	나는 태양광 수상보트를 움직일 수 있는 조건을 알기 위해 노력하였다.			
	기술(T)	나는 우리나라에서 태양전지 주택이 많이 없는 이유를 알기 위해 노력하였다.			
	공학(E)	나는 휘어지는 태양전지를 활용할 수 있는 곳을 찾기 위해 노력하였다.			
	예술(A)	나는 휘어지는 태양전지를 이용해 새롭고 창의적인 제품을 만들기 위해 노력하였다.			
	수학(M)	나는 물 위에서 움직이는 수상보트의 속력을 비교하기 위해 노력하였다.			
종합 및 기타 의견					

평가 시 유의사항

* 활동 평가표는 팀별 프로젝트 활동 중 또는 활동이 끝난 후 작성한다.
* 활동 평가표의 작성 및 평가 시 유의점은 아래와 같다.
  - '평가 척도'는 우수, 보통, 노력 요함이며 해당되는 란에 ∨표 한다.
  - 활동 목표는 이 수업을 통해 얻게 된 결과물을 중심으로 평가한다.
  - 융합·연계분야 성취는 이 활동을 통해 얻게 되는 융합 교육적 효과를 중심으로 평가한다.
  - 종합 및 기타 의견에는 수업과 관련한 특이사항 및 종합, 느낀 점, 기타 사항을 기술한다.

평가하기

창의적 문제해결력 특강의 다섯 번째 단계로, 탐구보고서 작성 및 발표 후 탐구 활동을 평가하는 단계입니다. 활동 목표 성취에 대한 평가, 융합-연계 분야 촉진에 대한 평가, 종합 및 기타 의견을 작성하여 스스로 창의적 문제해결력 특강을 통해 향상된 부분과 부족한 부분을 점검하도록 구성하였습니다.

부록 | 안쌤이 추천하는 초등 과학 대회 안내

다양한 과학 대회들이 생기고 있어서 어떤 대회를 참가해야할지 고민하시는 분들을 위해 안쌤이 추천하는 초등학교 과학 대회를 정리했습니다. 또한 이 과학 대회들을 통해 창의적 문제해결력 특강으로 향상된 능력을 확인하고 점검할 수 있습니다. 영재산출물(창의적 산출물)로 활용할 수 있는 대회, 학생기록부에 기록 가능한 대회, 영재교육원 문제 유형과 비슷한 대회를 소개하고 기출 문제 및 출제 문제 유형을 같이 수록했습니다.

부록

안쌤이 추천하는

초등 과학 대회

[연간 진행되는 과학 대회 중 주요 대회 리스트]

4월 자연관찰탐구대회 - 교내 대회
과학탐구실험대회 - 교내 대회
과학탐구토론대회 - 교내 대회
학생 과학발명품 경진대회 - 교내 대회

6월 전국 초등과학 창의사고력대회
- 서울교육대학교 주최

7월 한국 과학 창의력 대회
- 과교총(한국과학교육단체총연합회) 주최

10월 한국영재올림피아드 - 대교
(한국수학교육학회, 한국과학교육학회 출제) 주최

목차

융합인재교육 STEAM 이란?

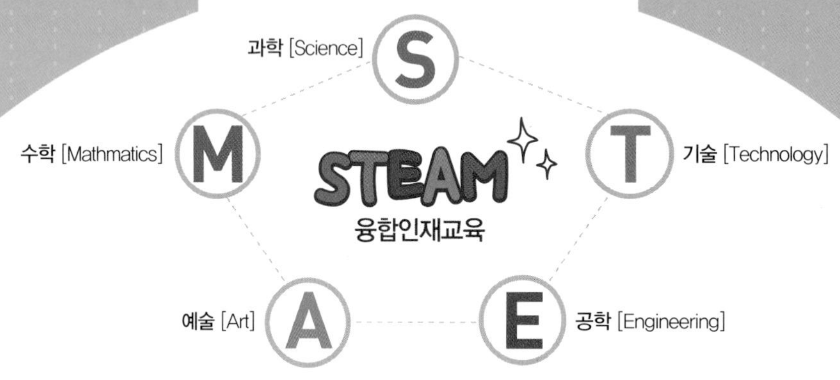

· 수학, 과학, 기술, 공학 간 상호 연계성 고려, 학문 간 공통 핵심 요소 중심으로 교육
· 예술적 소양을 함양하고 타 학문에 대한 이해가 깊은 미래형 인재 양성으로 교육
[자료 출처 : 한국과학창의재단]

융합인재교육은 과학기술공학과 관련된 다양한 분야의 융합적 지식, 과정, 본성에 대한 흥미와 이해를 높여 창의적이고 종합적으로 문제를 해결할 수 있는 융합적 소양(STEAM Literacy)를 갖춘 인재를 양성하는 교육이라고 정의하고 있다. 학습자가 실제 문제 상황을 다양하게 설계하고 해결하는 과정을 통해 새로운 개념을 생성하고, 창의적으로 설계하며, 더불어 사는 인성, 즉 사회적 감성을 발달하도록 하는 것이다.
이러한 융합인재교육(STEAM)의 목적은 다음과 같이 정리할 수 있다.

- 빠르게 변화하는 사회 변화의 적응력을 높이는 것이다.
- 개인의 창의인성, 지성과 감성의 균형 있는 발달을 돕는 것이다.
- 타인을 배려하고 협력하며, 소통하는 능력을 함양하는 것이다.
- 과학 효능감과 자신감, 과학에 대한 흥미 등을 증진시킴으로써 과학 학습에 대한 동기 유발을 높이는 것이다.
- 융합적 지식 및 과정의 중요성을 인식시키는 것이다.
- 학습자 중심의 수평적 융합적 교육으로 전환하는 것이다.
- 합리적이고 다양성을 인정하는 문화 형성에 기여하는 것이다.
- 대중의 과학화를 기반으로 한 합리적인 사회를 구성하는 데 기여하는 것이다.
- 창조적 협력 인재를 양성하는 것이다.
- 수학, 과학, 기술, 공학 간 상호 연계성 고려, 학문 간 공통 핵심 요소 중심으로 교육
- 예술적 소양을 함양하고 타 학문에 대한 이해가 깊은 미래형 인재 양성으로 교육

영재교육원 대비

안쌤의 창의적 문제해결력

과학

1

1·2 학년

STEP 1

문제인식

자석의 힘으로 가는 자동차

물이 들어 있는 유리병 안에 클립이 빠졌다.

물에 손을 넣지 않고 클립을 꺼낼 수 있는 방법이 있을까?

자석이란 물체를 이용하면 클립을 쉽게 꺼낼 수 있다.

클립은 자석에 붙는 물질이기 때문이다.

자석은 무엇일까?

옛날에 어떤 양치기가 마그네시아 지방을 걷고 있었는데 들고 다니던 쇠지팡이를 끌어당기는 이상한 돌을 발견을 했다. 그래서 그 돌(자철석)을 자석이라고 하고 그 지방의 이름을 따서 자석을 영어로 마그넷(magnet)이라고 부르고 있다. 자석은 쇠를 끌어당긴다는 뜻이다.

자석은 철새의 뇌 속에도 들어 있어서 철새가 남쪽이나 북쪽 방향을 찾아갈 수 있다.

1 다음 중 자석에 붙는 물체를 모두 고르세요.

2 자석에는 N극과 S극이 있습니다.

① 두 자석을 바닥에 놓고 같은 색깔의 극끼리 붙이면 어떻게 되는지 적어보세요.

N S S N

② 두 자석을 바닥에 놓고 다른 색깔의 극끼리 붙이면 어떻게 되는지 적어보세요.

N S N S

STEP 2

문제해결

1 자석에 클립이나 스테이플러 심을 붙였을 때 가장 많이 붙는 곳을 자석의 극이라고 합니다. 막대자석의 경우 양 끝이 극이며 극에서 자석의 힘이 가장 강합니다. 스테이플러 심을 이용하여 동전 자석의 극을 찾아보세요.

2 다음과 같이 자석 자동차를 만들어 움직여 보고 자석 자동차가 움직이는 원리를 적어보세요.

실험 1

① 바퀴 두 개와 바퀴 축을 연결한다.

② 자동차 몸통에 바퀴 축을 끼우고 반대편에 바퀴를 끼운다.

③ 동전 자석을 서로 맞대어 밀어내는 방향의 뒷면에 양면테이프를 붙인다.

④ 동전 자석을 나무막대와 자동차 몸통 뒷부분에 하나씩 붙인다.

⑤ 나무막대를 자석 자동차에 가까이하여 자동차를 움직여본다.

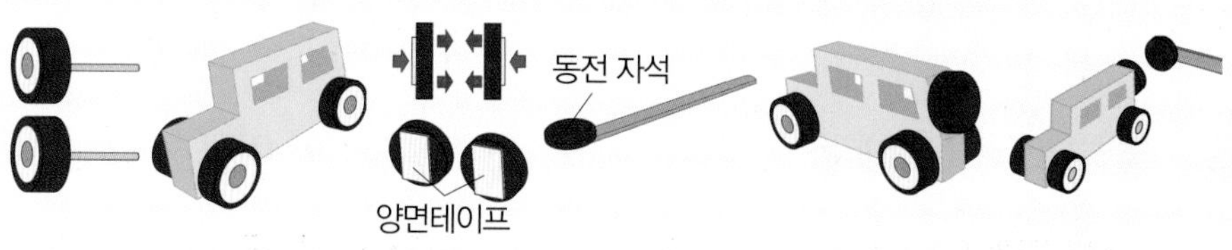

3 어떻게 하면 자석 자동차를 빨리 나아가게 할 수 있을까요?

1 내가 만든 자석 자동차를 더 빠르게 나아가게 할 수 있는 방법을 세 가지 적어보세요.

2 자석 자동차를 빠르게 나아가게 할 수 있는 방법 중 한 가지를 고르고 이를 확인할 수 있는 실험을 계획해보세요.

________________면 자석 자동차가 빠르게 나아갈 것이다.

- 같게 해야 할 것 :
- 다르게 해야 할 것 :

①

②

③

④

STEP 3

융합사고

1 노란색 고리 자석의 윗면이 N극일 때 (가)와 (나)의 가장 위쪽에 있는 초록색 고리 자석의 윗면의 극을 적어보세요.

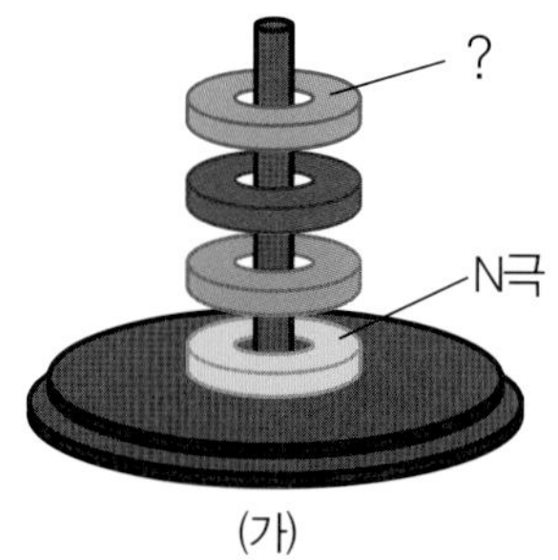

(가)

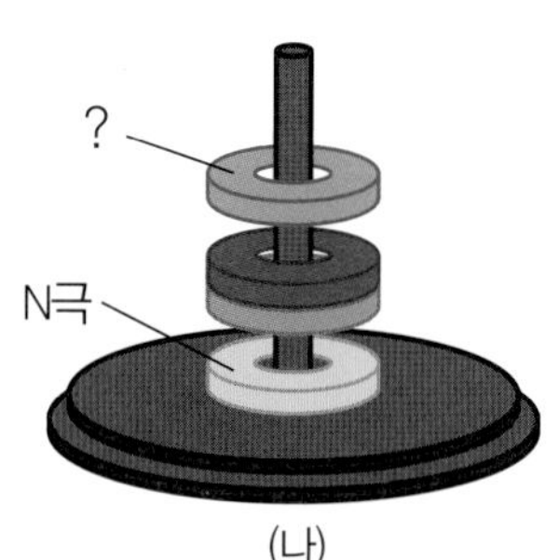

(나)

2 나침반은 방향을 알려주는 도구로 나침반의 바늘은 자석으로 만듭니다. 나침반의 N극이 항상 북쪽을 가리키는 이유를 적어보세요.

3 자석은 우리 주위의 여러 곳에서 사용됩니다.

❶ 자석이 실생활에 사용되는 경우를 다섯 가지 적어보세요.

❷ 우리 주위의 물체 중 자석을 이용하여 더 편리하게 사용할 수 있는 발명품을 만들어보세요.

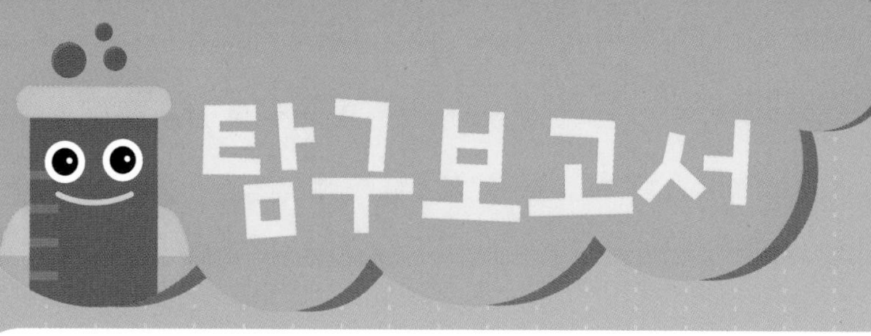

문제인식 1 STEP

1 탐구 주제 (제목)

자석 자동차를 빠르게 움직이게 해보자.

문제해결 2 STEP

2 탐구 문제 (가설)

자석의 개수를 많이하면 자석 자동차가 빠르게 나아갈 것이다.

3 탐구 방법

① 바퀴 두 개와 바퀴 축을 연결한다.
② 자동차 몸통에 바퀴 축을 끼우고 반대편에 바퀴를 끼운다.
③ 동전 자석을 서로 맞대어 밀어내는 방향의 뒷면에 양면테이프를 붙인다.
④ 동전 자석을 나무막대와 자동차 몸통 뒷부분에 하나씩 붙인다.
⑤ 자석과 자석 자동차의 거리를 5 cm 정도 떨어지게 하여 자석 자동차를 5 m 움직이는 데 걸린 시간을 측정한다.
⑥ 막대에 자석을 두 개 붙인다.
⑦ 자석과 자석 자동차의 거리를 5 cm 정도 떨어지게 하여 자석 자동차를 5 m 움직이는 데 걸린 시간을 측정한다.

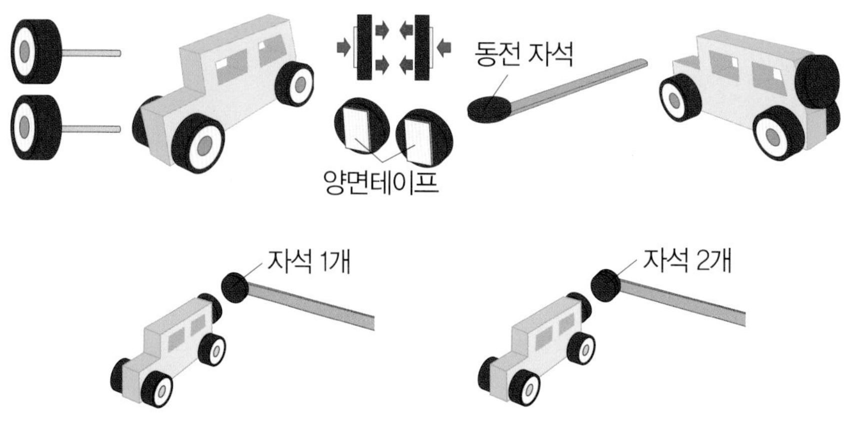

④ 탐구 결과 (표 또는 그래프로 작성)

막대에 자석을 한개 붙였을 때는 5 m를 움직이는 데 약 9초 걸렸다.
막대에 자석을 두개 붙였을 때는 5 m를 움직이는 데 약 5초 걸렸다.

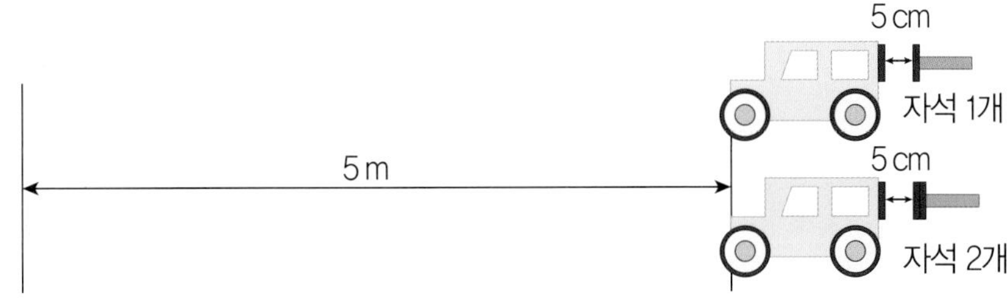

⑤ 탐구 결론

막대에 자석을 두 개 붙이면 자석의 힘이 강해지므로 자석 자동차가 빠르게 움직인다.

유합사고 3 STEP

⑥ 탐구에 대한 나의 의견 (고민, 아쉬운 점, 새로 알게 된 점, 더 연구하고 싶은 점)

1. 자석의 개수를 변화시키는 것 이외에도 자석과 자석 사이의 거리를 가깝게 할수록, 자석 자동차가 가벼울수록, 강한 자석을 사용할수록 자석 자동차가 빠르게 나아갈 것이다.
2. 자석은 핸드백 단추, 냉장고 자석, 병따개, 필통 뚜껑, 자석 칠판, 자석 드라이버, 자석 바둑판 등 우리 주위의 다양한 곳에 이용된다. 자석과 철, 자석의 서로 다른 극끼리 잡아당기는 힘을 이용하면 잃어버림 방지용 사인펜이나 못과 함께 하는 망치 등의 새로운 아이디어 상품을 만들 수 있다.

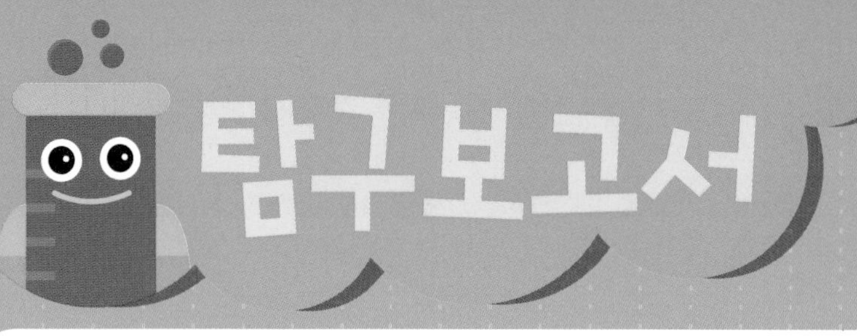

문제인식 1 STEP

① 탐구 주제 (제목)

문제해결 2 STEP

② 탐구 문제 (가설)

③ 탐구 방법

④ 탐구 결과 (표 또는 그래프로 작성)

⑤ 탐구 결론

융합사고 3 STEP

⑥ 탐구에 대한 나의 의견 (고민, 아쉬운 점, 새로 알게 된 점, 더 연구하고 싶은 점)

활동 평가표

<table>
<tr><td>주제</td><td colspan="5">자석의 힘으로 가는 자동차</td></tr>
<tr><td rowspan="2">영역</td><td colspan="2" rowspan="2">평가 기준</td><td colspan="3">평가 척도</td></tr>
<tr><td>우수</td><td>보통</td><td>노력 요함</td></tr>
<tr><td rowspan="4">활동 목표 성취</td><td colspan="2">자석 사이에서 작용하는 두 가지 힘을 구분할 수 있었다.</td><td></td><td></td><td></td></tr>
<tr><td colspan="2">학습했던 과학 원리를 응용하여 자석 자동차가 빠르게 나아가게 하는 방법을 찾을 수 있었다.</td><td></td><td></td><td></td></tr>
<tr><td colspan="2">빠르게 나아가는 자석 자동차를 만들면서 창의적 문제해결력을 기를 수 있었다.</td><td></td><td></td><td></td></tr>
<tr><td colspan="2">이 수업을 통해 통합능력과 의사소통능력이 향상되었다.</td><td></td><td></td><td></td></tr>
<tr><td rowspan="5">융합 · 연계 분야 촉진</td><td>과학(S)</td><td>나는 동전 자석의 극을 찾기 위해 노력하였다.</td><td></td><td></td><td></td></tr>
<tr><td>기술(T)</td><td>나는 빠르게 나아가는 자석 자동차를 만들기 위해 실험 재료를 적절하게 활용하고 필요에 맞게 변형하는 능력을 발휘하였다.</td><td></td><td></td><td></td></tr>
<tr><td>공학(E)</td><td>나는 우리 주위의 물체 중 자석을 이용하여 더 편리하게 사용할 수 있는 발명품을 만들기 위해 노력하였다.</td><td></td><td></td><td></td></tr>
<tr><td>예술(A)</td><td>나는 우리 주위의 물체를 자석과 결합하여 새롭고 창의적인 기능을 만들기 위해 노력하였다.</td><td></td><td></td><td></td></tr>
<tr><td>수학(M)</td><td>나는 자석 자동차가 나아가는 거리를 측정하고 결론을 수학적으로 해석하기 위해 노력하였다.</td><td></td><td></td><td></td></tr>
<tr><td>종합 및 기타 의견</td><td colspan="5"></td></tr>
</table>

평가 시 유의사항

※ 활동 평가표는 팀별 프로젝트 활동 중 또는 활동이 끝난 후 작성한다.

※ 활동 평가표의 작성 및 평가 시 유의점은 아래와 같다.

- '평가 척도'는 우수, 보통, 노력 요함이며 해당되는 란에 ∨표 한다.
- 활동 목표는 이 수업을 통해 얻게 된 결과물을 중심으로 평가한다.
- 융합 · 연계분야 성취는 이 활동을 통해 얻게 되는 융합 교육적 효과를 중심으로 평가한다.
- 종합 및 기타 의견에는 수업과 관련한 특이사항 및 종합, 느낀 점, 기타 사항을 기술한다.

영재교육원 대비

안쌤의 창의적 문제해결력

과학

2

1·2

학년

문제인식

바람의 힘으로 가는 자동차

인류와 함께 발전해 온 자동차의 역사는 기원전 3200년 경 바퀴의 발명과 함께 시작되었다. 1482년, 레오나르도 다빈치가 최초의 자동차인 태엽 자동차를 발명했다. 그 후로 1599년에는 폴란드 수학자 시몬 스테빈이 풍력 자동차를 발명했고, 1769년에는 니콜라스 조셉 퀴뇨가 증기 자동차를 발명했다. 특히 니콜라스 조셉 퀴뇨가 만든 증기 자동차는 자동차의 시초로 기록되고 있다.

최초의 풍력 자동차는 기록상으로는 지름 1.5 m짜리 나무 바퀴 네 개를 단 나무 수레에 돛을 달고 바닷가에서 시속 34 km로 68 km를 주행하였다.

2009년 영국의 젠킨스는 자신이 만든 '그린버드' 라는 이름의 풍력 자동차를 타고 시속 202 ㎞의 최고 속도 기록을 세웠다.

1 바람은 눈에 보이지 않습니다. 일상생활에서 바람이 불고 있다는 것을 알 수 있는 방법을 세 가지 적어보세요.

2 아마존, DHL 등의 회사들이 드론을 이용해 택배를 발송하는 연구가 진행 중입니다. 드론은 사람이 타지 않는 무인 비행체입니다. 드론이 움직이는 원리를 적어보세요.

드론

문제해결

1 다음 방법으로 풍력 자동차를 만들어 보세요.

실험 1

① 몸체 앞과 뒤 원형 홈에 빨대 2개를 끼운다.
② 바퀴에 바퀴축을 끼우고 몸체의 빨대 앞과 뒷쪽에 각각 끼운다.
③ 각 바퀴에 실리콘 고무링을 끼운다.
④ 자동차 앞쪽 홈에 고무줄걸이를 돌려 끼운다.
⑤ 몸체 뒤쪽 사각 홈에 꼬리 날개를 끼우고 프로펠러를 끼운다.
⑥ 고무줄걸이와 프로펠러에 고무줄을 건다.

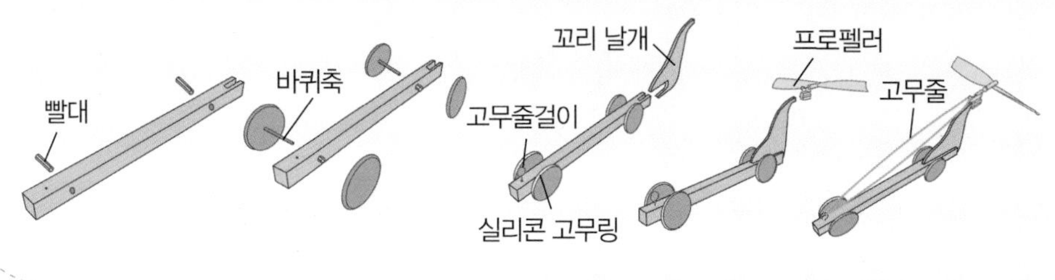

프로펠러를 시계반대방향으로 60~70번 감고 풍력 자동차를 바닥에 놓으면 어떻게 되는지 적어보세요.

풍력 자동차

2 프로펠러를 시계방향으로 감고 바닥에 놓으면 풍력 자동차가 어떻게 되는지 적어보세요.

3 어떻게 하면 풍력 자동차를 더 멀리 더 빠르게 나아가게 할 수 있을까요?

1 내가 만든 풍력 자동차를 더 멀리 더 빠르게 나아가게 할 수 있는 방법을 두 가지 적어보세요.

2 내가 생각한 방법이 맞는지 확인할 수 있는 실험을 계획해보세요.

______________________________면 풍력 자동차가 빠르게 나아갈 것이다.

실험방법

- 같게 해야 할 것 :
- 다르게 해야 할 것 :

①

②

③

④

예상되는 결과

STEP 3

융합사고

1 풍력 자동차는 프로펠러가 만드는 바람의 힘을 이용하여 앞으로 나아갑니다. 우리 주위에서 바람의 힘을 이용한 경우를 세 가지 찾고, 바람을 어떻게 이용하는지 적어보세요.

2 풍력발전은 석탄, 석유를 사용하지 않고 바람으로 커다란 프로펠러를 돌려 전기를 만드는 친환경 에너지 생산 방식입니다. 우리나라에는 강원도 대관령, 태백, 울릉도, 제주도, 경북 영덕 등 여러 지역에 풍력발전소가 있지만, 이들 발전소에서 생산하는 전기의 양은 전체 전기의 0.08 % 정도입니다. 우리나라에서 풍력발전의 생산량이 낮은 이유를 적어보세요.

▲ 강원도 대관령 풍력발전단지

▲ 경북 영덕 풍력발전단지

▲ 풍력발전기

3 다음은 고층빌딩과 바람에 관한 내용이다.

63빌딩 윗부분은 바람이 불면 윗부분이 좌우 60 cm 정도로 움직인다. 63빌딩과 같이 40층 이상의 높은 건물은 15~20층마다 베어링(운동을 원활하게 해주는 장치)을 설치해 강한 바람이 불었을 때 건물이 부드럽게 흔들리도록 짓는다. 이 흔들림은 내부 사람이 느낄 수 없는 정도이다. 건물을 흔들리게 짓는 이유는 딱딱한 나무보다 갈대가 바람에 쉽게 꺾이지 않는 이유와 같다고 볼 수 있다. 만약 높은 건물을 휘어지지 않게 만들면 태풍과 같은 강한 바람을 받았을 때, 그 충격을 이기지 못하고 건물이 무너진다. 미국 뉴욕의 엠파이어 스테이트 빌딩, 프랑스 파리의 에펠탑 등도 바람에 의해 흔들린다.

건물이나 물체가 바람에 의해 흔들리고 무너지는 것을 막을 수 있는 방법을 한 가지 적어보세요.

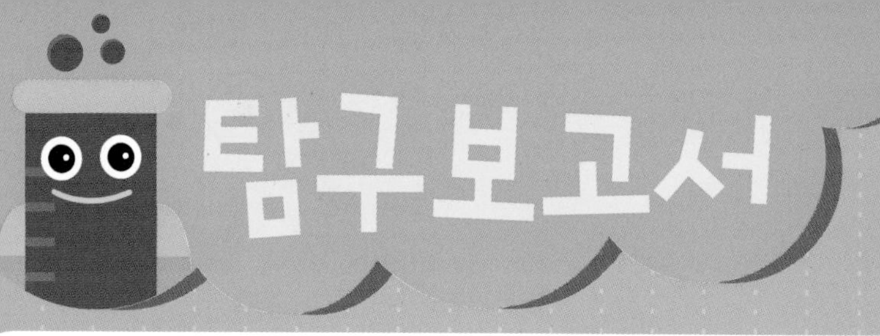

문제인식 1 STEP

① 탐구 주제 (제목)

문제해결 2 STEP

② 탐구 문제 (가설)

③ 탐구 방법

❹ 탐구 결과 (표 또는 그래프로 작성)

❺ 탐구 결론

융합사고 3 STEP

❻ 탐구에 대한 나의 의견 (고민, 아쉬운 점, 새로 알게 된 점, 더 연구하고 싶은 점)

활동 평가표

<table>
<tr><th>주제</th><th colspan="5">바람의 힘으로 가는 자동차</th></tr>
<tr><th rowspan="2">영역</th><th rowspan="2" colspan="2">평가 기준</th><th colspan="3">평가 척도</th></tr>
<tr><th>우수</th><th>보통</th><th>노력 요함</th></tr>
<tr><td rowspan="4">활동 목표 성취</td><td colspan="2">풍력 자동차의 원리를 말할 수 있었다.</td><td></td><td></td><td></td></tr>
<tr><td colspan="2">학습했던 과학 원리를 응용하여 풍력 자동차를 빠르게 나아가게 하는 방법을 찾을 수 있었다.</td><td></td><td></td><td></td></tr>
<tr><td colspan="2">빠르게 나아가는 풍력 자동차를 만들면서 창의적 문제해결력을 기를 수 있었다.</td><td></td><td></td><td></td></tr>
<tr><td colspan="2">이 수업을 통해 통합능력과 의사소통능력이 향상되었다.</td><td></td><td></td><td></td></tr>
<tr><td rowspan="5">융합 · 연계 분야 촉진</td><td>과학(S)</td><td>나는 우리 주위에서 바람의 힘을 이용한 경우를 찾고 바람을 이용하는 방법을 알기 위해 노력하였다.</td><td></td><td></td><td></td></tr>
<tr><td>기술(T)</td><td>나는 우리나라에서 풍력발전의 생산량이 낮은 이유를 찾기 위해 노력하였다.</td><td></td><td></td><td></td></tr>
<tr><td>공학(E)</td><td>나는 건물이나 물체가 바람에 의해 흔들리고 무너지는 것을 막을 수 있는 방법을 고안하기 위해 노력하였다.</td><td></td><td></td><td></td></tr>
<tr><td>예술(A)</td><td>나는 건물이나 물체가 바람에 흔들리고 무너지는 것을 막을 수 있는 방법을 새롭고 창의적인 모양으로 생각하기 위해 노력하였다.</td><td></td><td></td><td></td></tr>
<tr><td>수학(M)</td><td>나는 풍력 자동차가 나아가는 거리를 측정하고 결과를 수학적으로 해석하기 위해 노력하였다.</td><td></td><td></td><td></td></tr>
<tr><td>종합 및 기타 의견</td><td colspan="5"></td></tr>
</table>

평가 시 유의사항

※ 활동 평가표는 팀별 프로젝트 활동 중 또는 활동이 끝난 후 작성한다.

※ 활동 평가표의 작성 및 평가 시 유의점은 아래와 같다.

- '평가 척도'는 우수, 보통, 노력 요함이며 해당되는 란에 ∨표 한다.
- 활동 목표는 이 수업을 통해 얻게 된 결과물을 중심으로 평가한다.
- 융합 · 연계분야 성취는 이 활동을 통해 얻게 되는 융합 교육적 효과를 중심으로 평가한다.
- 종합 및 기타 의견에는 수업과 관련한 특이사항 및 종합, 느낀 점, 기타 사항을 기술한다.

영재교육원 대비

안쌤의 창의적 문제해결력

과학 3

1·2 학년

공기로 연주하는 팬플룻

축구나 야구 경기장에 가면 모든 관객이 하나가 되어 파도타기 응원을 하는 모습을 볼 수 있다. 각 사람들은 옆 사람에 이어 일어났다가 앉는 것을 반복하는데 이것을 멀리서 보면 마치 파도가 지나가는 것처럼 보인다.

파도타기 응원

잔잔한 물가에 돌을 떨어뜨리면 떨어진 곳을 중심으로 물결이 퍼져 나간다. 이렇게 떨림(진동)이 전달되는 현상을 파동이라 한다.

파도나 물결은 눈으로 볼 수 있는 파동인데 비해 소리는 눈으로 볼 수 없는 파동이다.

1 다음 사진을 보고 소리가 나는 물체의 공통점을 찾아 적어보세요.

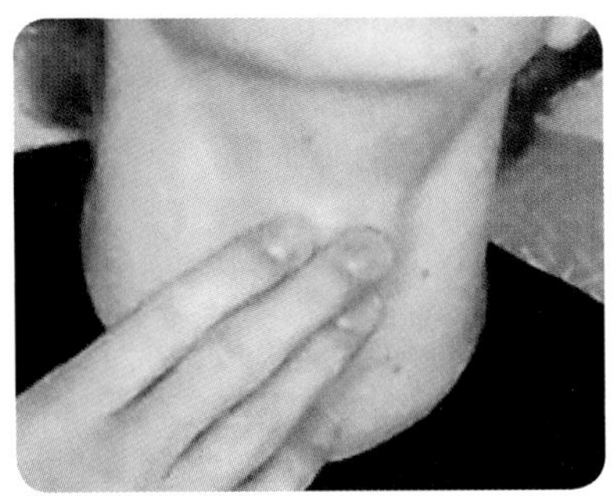

2 책상 밖으로 자를 튀어나오게 한 후 자를 튕겨 소리를 만들어 보았습니다. 책상 밖으로 튀어나온 자의 길이와 소리의 관계를 적어보세요.

▲ 자의 길이를 길게 했을 때

▲ 자의 길이를 짧게 했을 때

• 자의 길이를 길게 했을 때 :

• 자의 길이를 짧게 했을 때 :

STEP 2

문제해결

1 유리병과 물을 이용하면 악기를 만들 수 있습니다. 유리병에 물의 양을 다르게 넣고 유리병 입구에 입을 오므려서 바람을 불면 소리가 납니다. 이때 높은 음이 나는 것은 어느 것인지 적어보세요.

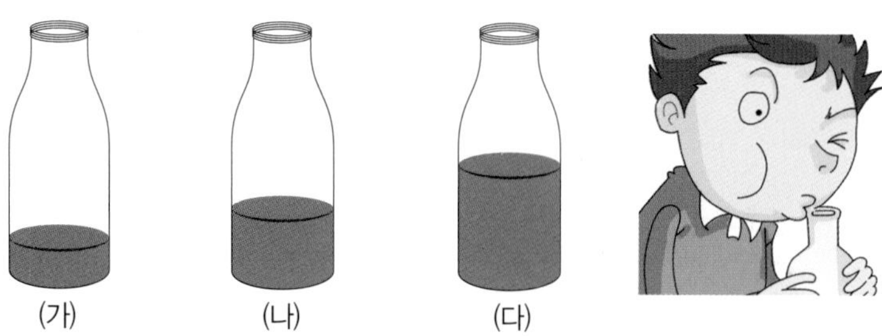

2 다음 실험을 통해 관의 길이와 음의 관계를 알아보세요.

실험 1

① 플라스틱 관을 10 cm, 20 cm 길이로 자른다.
② 플라스틱 관 한쪽 끝에 뚜껑을 씌운다.
③ 플라스틱 관 입구에 입을 오므려서 바람을 분다.

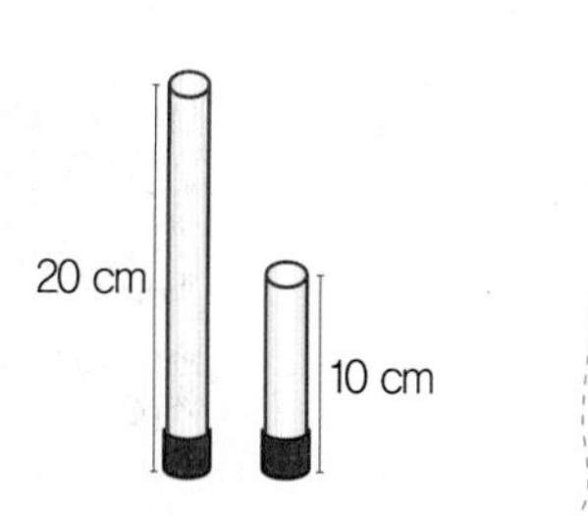

10 cm와 20 cm 길이의 플라스틱 관을 불어 소리의 높낮이를 비교해보세요.

3 관악기는 긴 통 안에 공기를 불어 넣어 공기를 떨리게 하여 연주하는 악기입니다. 플라스틱 관을 이용하여 관악기의 한 종류인 팬플룻을 만들려고 합니다. 다음 준비물을 이용하여 여러 가지 음을 연주할 수 있는 팬플룻을 만드는 실험을 계획해보세요.

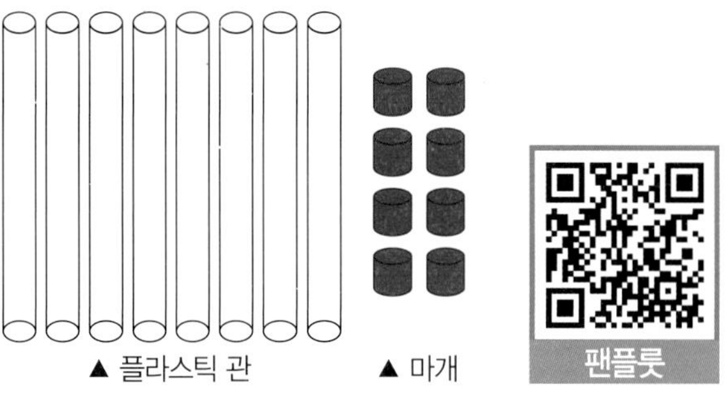

____________________하면 여러 가지 음을 연주할 수 있을 것이다.

실험방법

①

②

③

④

⑤

융합사고

1. 망원경이 없던 옛날에 인디언들은 적이 왔음을 알기 위해 땅에 귀를 대고 말 발굽 소리를 들었다고 합니다. 인디언들이 공기를 통해 전달되는 소리를 듣지 않고 땅에 귀를 대고 소리를 들었던 이유를 추리하여 적어보세요.

2. 물체의 진동이 공기로 전달되고 공기의 진동이 귀의 고막을 진동시키면 우리가 소리를 들을 수 있습니다. 소리가 나는 알람시계를 진공펌프에 넣고 공기를 서서히 뺀다면 알람시계의 소리는 어떻게 될지 적어보세요.

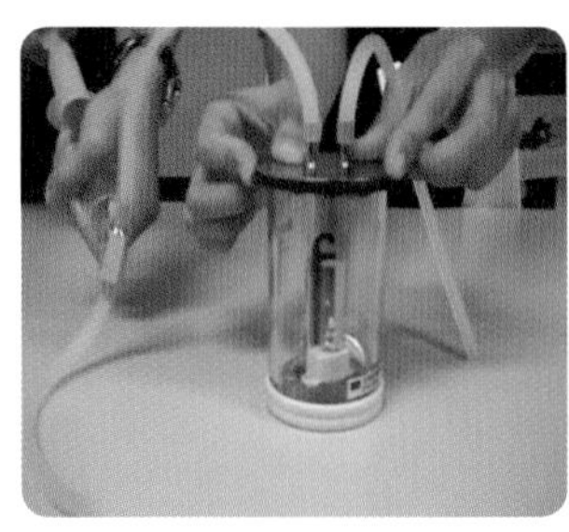

진공펌프

3 다음은 실전화기에 대한 설명입니다.

> 실전화기는 컵과 컵을 실로 연결한 것이다.
> 한 사람이 실전화기의 컵에 대고 말을 하면
> 소리에 의해 종이컵 바닥이 떨린다. 이 떨림은
> 연결된 실을 타고 반대쪽 종이컵 바닥까지 전달된다.
> 반대편 종이컵의 떨림은 종이컵 속의 공기를 떨리게 하므로
> 소리를 들을 수 있다.

실전화기에서 소리가 잘 전달되게 하는 방법을 다섯 가지 적어보세요.

탐구보고서

문제인식 1 STEP

❶ 탐구 주제 (제목)

문제해결 2 STEP

❷ 탐구 문제 (가설)

❸ 탐구 방법

❹ 탐구 결과 (표 또는 그래프로 작성)

❺ 탐구 결론

유합사고 3 STEP

❻ 탐구에 대한 나의 의견 (고민, 아쉬운 점, 새로 알게 된 점, 더 연구하고 싶은 점)

활동 평가표

주제	공기로 연주하는 팬플룻				
영역	평가 기준		평가 척도		
			우수	보통	노력 요함
활동 목표 성취	소리가 나는 물체의 공통점을 말할 수 있었다.				
	학습했던 과학 원리를 응용하여 다양한 음을 연주할 수 있는 팬플룻을 만들 수 있었다.				
	다양한 음을 연주할 수 있는 팬플룻을 만들면서 창의적 문제해결력을 기를 수 있었다.				
	이 수업을 통해 통합능력과 의사소통능력이 향상되었다.				
융합 · 연계 분야 촉진	과학(S)	나는 높은 음과 낮은 음을 구별하고 물체의 진동 횟수와 소리의 높낮이의 관계를 알기 위해 노력하였다.			
	기술(T)	나는 물체의 상태와 소리가 전달되는 속도와의 관계를 추리하기 위해 노력하였다.			
	공학(E)	나는 실전화기에서 소리가 잘 전달되게 하는 방법을 고안하기 위해 노력하였다.			
	예술(A)	나는 소리가 잘 전달되는 실전화기를 새롭고 창의적인 모양으로 디자인하기 위해 노력하였다.			
	수학(M)	나는 플라스틱 관의 길이와 소리의 높낮이의 관계를 수학적으로 해석하기 위해 노력하였다.			
종합 및 기타 의견					

평가 시 유의사항

※ 활동 평가표는 팀별 프로젝트 활동 중 또는 활동이 끝난 후 작성한다.

※ 활동 평가표의 작성 및 평가 시 유의점은 아래와 같다.

- '평가 척도'는 우수, 보통, 노력 요함이며 해당되는 란에 ∨표 한다.
- 활동 목표는 이 수업을 통해 얻게 된 결과물을 중심으로 평가한다.
- 융합 · 연계분야 성취는 이 활동을 통해 얻게 되는 융합 교육적 효과를 중심으로 평가한다.
- 종합 및 기타 의견에는 수업과 관련한 특이사항 및 종합, 느낀 점, 기타 사항을 기술한다.

영재교육원 대비

안쌤의 창의적 문제해결력

과학 4

1·2 학년

STEP 1

문제인식

속력을 줄여 주는 낙하산

낙하산은 고장난 비행기에서 안전하게 탈출하기 위한 도구 또는 스포츠로서 고안되었다. 그러나 지금은 사람뿐 아니라 보급품과 장비를 안전하게 떨어뜨리는 데도 쓰이며 왕복 우주선이 지구 대기권으로 들어온 후 속도를 늦추기 위해서도 쓰인다.

최초의 낙하산은 1470년 이탈리아에서 만들어진 것으로 오늘날 파라솔을 들고 뛰어 내리는 것과 거의 차이가 없는 수준이였다. 현재 사람이 매고 사용하는 낙하산은 1911년부터 개발되기 시작하였다.

스카이다이빙(skydiving, 고공강하)은 낙하산을 매고 항공기나 기구 등을 이용하여 높은 하늘에 올라간 뒤에 그곳에서 뛰어내린 후, 자유롭게 떨어지면서 계획한 동작을 수행하고 정해진 높이에서 낙하산을 펴고 땅에 안전하게 내려오는 항공스포츠이다. 스카이다이빙은 1961년 미군에 의해 우리나라에 처음 도입되었다.

스카이다이빙

1 스카이다이빙은 비행기로 지상에서 3000~4000 m 높이까지 올라간 후 뛰어내리는 스포츠입니다. 비행기에서 뛰어내린 후 100 m를 떨어지면 속력이 시속 약 100 km가 되고 1000 m를 떨어지면 시속 약 200 km가 됩니다. 비행기에서 뛰어내린 후 사람이 떨어지는 속력이 점점 빨라지는 이유를 적어보세요.

2 크기와 무게가 같은 A4 종이를 하나는 그대로 다른 하나는 동그랗게 뭉친 후 같은 높이에서 동시에 떨어뜨렸습니다. 두 종이가 떨어지는 모습을 비교하고 차이가 생긴 이유를 적어보세요.

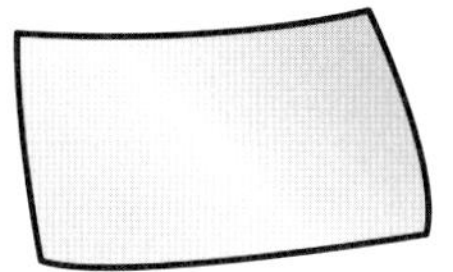

STEP 2

문제해결

1 비는 보통 1200 m 이상의 높이에 있는 구름에서 만들어지며 소나기는 더 높은 곳인 3000 km 이상에 만들어져 떨어집니다. 그러나 우리는 높은 곳에서 떨어지는 빗방울을 맞아도 죽거나 다치지 않습니다. 그 이유를 추리하여 적어보세요.

2 다음과 같은 방법으로 낙하산을 만들어 보세요.

실험 1

① 비닐봉지를 삼각형으로 접은 후 잘라 40 cm 크기의 정사각형으로 만든다.
② 정사각형의 네 꼭지점에 투명테이프를 붙이고 송곳으로 구멍을 뚫는다.
③ 구멍을 낸 꼭지점에 30 cm 실을 각각 묶는다.
④ 네 가닥의 실을 중앙으로 모으고 너트에 묶는다.

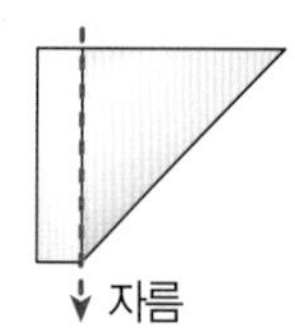

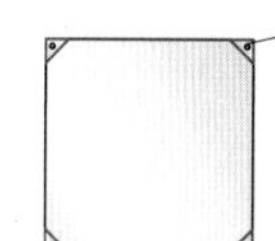

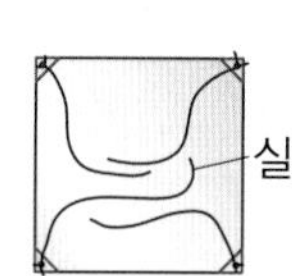

낙하산을 매달지 않은 너트와 낙하산을 매단 너트를 동시에 떨어뜨렸을 때 나타나는 결과를 관찰한 후, 낙하산의 역할을 원리와 함께 적어보세요.

3 어떻게 하면 너트를 더 천천히 떨어지게 할 수 있을까요?

1. 너트를 더 천천히 떨어지게 할 수 있는 방법을 두 가지 적어보세요.

2. 내가 생각한 방법이 맞는지 확인할 수 있는 실험을 계획해보세요.

가설

______________________ 면 너트가 천천히 떨어질 것이다.

실험방법

- 같게 해야 할 것 :
- 다르게 해야 할 것 :

①

②

③

예상되는 결과

융합사고

1 스카이다이버는 보통 지면에서 800 m 높이가 되면 땅에 안전하게 착륙하기 위해서 낙하산을 펍니다. 두 사람이 함께 뛰어내리는 경우 더 큰 낙하산을 사용해야 하고 뛰어내리자마자 보조 낙하산을 펴야 합니다. 또한 주 낙하산은 혼자 뛰어내릴 때 보다 더 높은 곳에서 펴야 합니다. 주 낙하산을 빨리 펴야 하는 이유를 적어보세요.

2 실제 낙하산에는 여러 개의 작은 구멍이 뚫려 있습니다. 낙하산에 구멍이 있는 이유를 추리하여 적어보세요.

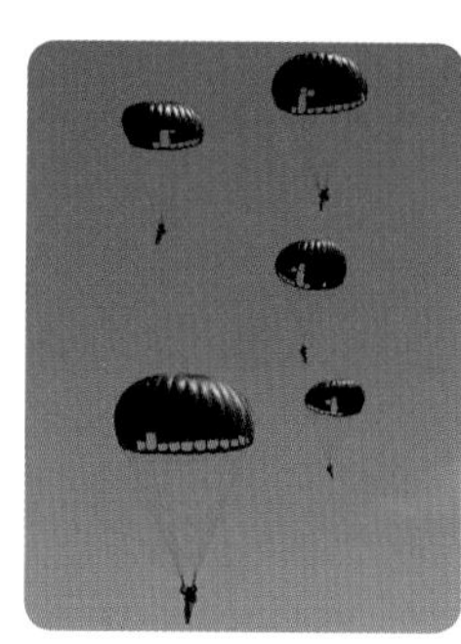

3 다음은 중국의 달탐사선에 관한 내용입니다.

> 2013년 12월 14일 밤 10시 12분에 중국의 달 탐사선인 창어 3호가 달 표면에 무사히 착륙했다. 이로써 중국은 미국과 러시아에 이어 달 착륙에 성공한 세계 3번째 국가가 되었다. 창어 3호가 착륙하는데 12분이 걸렸으며 지상 관제소에서 사람의 조작 없이 탐사선 스스로 자동 운항하며 착륙 과정을 해결했다. 창어 3호에서 분리된 옥토끼호는 3개월 가량 달의 지리적 구조와 표면을 조사하고 광물 자원을 탐사한다. 탐사 임무를 마치면 지구로 회수되지 않고 달에 영원히 남는다.

지구에서 달과 화성에 많은 탐사선을 보내고 있습니다. 지구와 달리 달과 화성에는 공기가 없거나 아주 조금 있어서 탐사선이 착륙할 때 낙하산을 사용할 수 없습니다. 탐사선이 달이나 화성 표면에 안전하게 착륙할 수 있는 방법을 한 가지 적어보세요.

창어 3호 착륙

탐구보고서

문제인식 1 STEP

❶ 탐구 주제 (제목)

문제해결 2 STEP

❷ 탐구 문제 (가설)

❸ 탐구 방법

4 탐구 결과 (표 또는 그래프로 작성)

5 탐구 결론

융합사고 3 STEP

6 탐구에 대한 나의 의견 (고민, 아쉬운 점, 새로 알게 된 점, 더 알고 싶은 점)

활동 평가표

<table>
<tr><td>주제</td><td colspan="5">속력을 줄여 주는 낙하산</td></tr>
<tr><td rowspan="2">영역</td><td rowspan="2" colspan="2">평가 기준</td><td colspan="3">평가 척도</td></tr>
<tr><td>우수</td><td>보통</td><td>노력 요함</td></tr>
<tr><td rowspan="4">활동 목표 성취</td><td colspan="2">떨어지는 물체의 속력이 증가하는 이유와 빗방울의 속력이 계속 증가하지 않는 이유를 말할 수 있었다.</td><td></td><td></td><td></td></tr>
<tr><td colspan="2">학습했던 과학 원리를 응용하여 물체를 천천히 떨어지게 하는 다양한 방법을 찾을 수 있었다.</td><td></td><td></td><td></td></tr>
<tr><td colspan="2">물체를 천천히 떨어지게 하는 낙하산을 만들면서 창의적 문제해결력을 기를 수 있었다.</td><td></td><td></td><td></td></tr>
<tr><td colspan="2">이 수업을 통해 통합능력과 의사소통능력이 향상되었다.</td><td></td><td></td><td></td></tr>
<tr><td rowspan="5">융합 · 연계 분야 촉진</td><td>과학(S)</td><td>나는 낙하산이 물체를 천천히 떨어지게 하는 원리를 알기 위해 노력하였다.</td><td></td><td></td><td></td></tr>
<tr><td>기술(T)</td><td>나는 물체가 천천히 떨어지게 하는 낙하산을 만들기 위해 각 재료들을 기능에 맞게 변형하는 능력을 발휘하였다.</td><td></td><td></td><td></td></tr>
<tr><td>공학(E)</td><td>나는 공기가 없거나 적은 환경에서 탐사선이 안전하게 착륙하기 위한 방법을 고안하기 위해 노력하였다.</td><td></td><td></td><td></td></tr>
<tr><td>예술(A)</td><td>나는 물체를 천천히 떨어지게 하는 낙하산을 새롭고 창의적인 모양으로 디자인하기 위해 노력하였다.</td><td></td><td></td><td></td></tr>
<tr><td>수학(M)</td><td>나는 너트가 떨어지는 시간과 낙하산의 크기와의 관계를 찾기 위해 노력하였다.</td><td></td><td></td><td></td></tr>
<tr><td>종합 및 기타 의견</td><td colspan="5"></td></tr>
</table>

평가 시 유의사항

※ 활동 평가표는 팀별 프로젝트 활동 중 또는 활동이 끝난 후 작성한다.

※ 활동 평가표의 작성 및 평가 시 유의점은 아래와 같다.

- '평가 척도'는 우수, 보통, 노력 요함이며 해당되는 란에 V표 한다.
- 활동 목표는 이 수업을 통해 얻게 된 결과물을 중심으로 평가한다.
- 융합 · 연계분야 성취는 이 활동을 통해 얻게 되는 융합 교육적 효과를 중심으로 평가한다.
- 종합 및 기타 의견에는 수업과 관련한 특이사항 및 종합, 느낀 점, 기타 사항을 기술한다.

영재교육원 대비

안쌤의 창의적 문제해결력

과학 5

1·2 학년

문제인식

태양빛을 이용한 수상보트

둘리는 먼 옛날 빙하기 때 얼음 속에 꽁꽁 갇혀 있다가 1억년 전 외계인들이 전해준 초능력 덕에 빙하를 타고 서울로 온 초록색 아기 공룡이다. 서울에 온 둘리는 무더운 여름 날 고향을 그리워하는 향수병에 걸린다. 어느 날 둘리는 같이 살고 있는 고길동으로부터 구박을 받고 북극 고향을 외치며 집을 떠나지만 북극으로 갈 방법을 찾지 못한다. 희망을 잃어가고 있던 중, 둘리는 우연히 하늘을 날아다니는 헬리곱터의 프로펠러를 보게 되고 집에 있는 선풍기를 타고 고향인 북쪽으로 날아가는 여행을 시작한다.

아기 공룡 둘리

1 헬리곱터, 비행기, 배, 보트는 프로펠러를 회전시켜 움직입니다. 프로펠러를 회전시키기 위해서는 필요한 것을 적어보세요.

2 일상생활에서 편리하게 사용하는 전기가 만들어지는 방법을 적어보세요.

문제해결

1 다음 방법으로 태양광 수상보트를 만들어 보세요.

실험 1

① 보트 도안의 A 조각과 E 조각을 배 모양으로 연결한 후 H 조각 중심에 붙인다.
② 보트 도안의 B 조각과 F 조각을 배 모양으로 연결한 후 ① 위에 붙인다.
③ C 조각 2개를 쌓아 붙이고 위에 프로펠러를 연결한 태양전지를 붙인다.
④ G 조각 5개를 쌓아 붙이고 ② 한쪽에 붙인다.
⑤ D 조각을 G 조각 반대편에 붙이고 7 cm 길이의 빨대를 구멍에 끼운다.
⑥ 빨대 위에 C 조각을 끼운다.
⑦ G 조각 위에 모터를 붙인다.

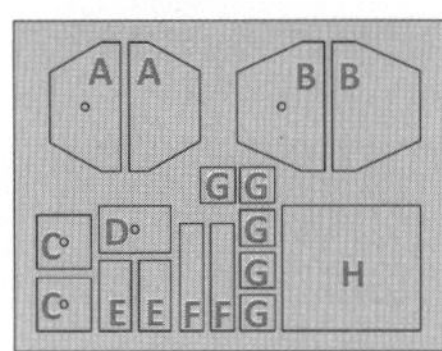

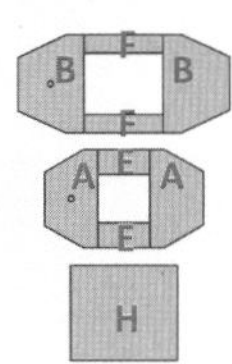

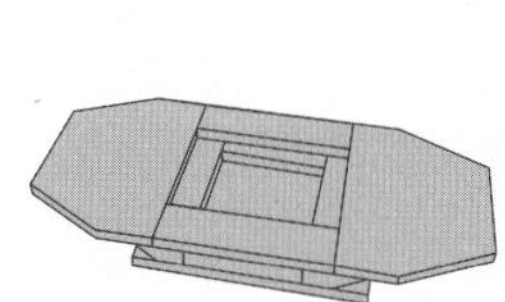

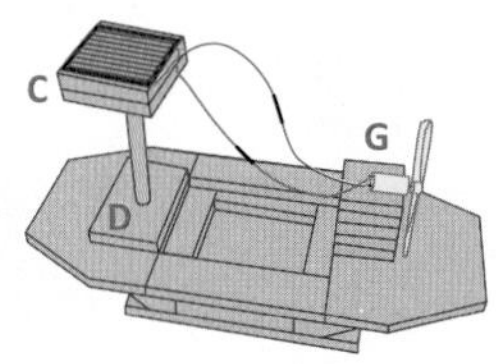

태양광 수상보트를 물에 띄우고 햇빛이 잘 비치는 곳에 두면 어떻게 되는지 적어보세요.

2 태양광 수상보트가 언제 움직이는지 적어보세요.

3 어떻게 하면 태양광 수상보트를 빠르게 움직이게 할 수 있을까요?

1. 내가 만든 태양광 수상보트를 더 빠르게 움직이게 할 수 있는 방법을 두 가지 적어보세요.

2. 내가 생각한 방법이 맞는지 확인할 수 있는 실험을 계획해보세요.

가설

____________________면 수상보트가 빨리 움직일 것이다.

실험방법

- 같게 해야 할 것 :
- 다르게 해야 할 것 :

①

②

③

STEP 3

융합사고

1 우리 주변에서 태양전지를 사용하고 있는 경우를 두 가지 찾고 태양전지를 사용했을 때 장점을 적어보세요.

2 지붕을 태양전지로 만들면 가정에서 사용하는 전기를 직접 만들 수 있습니다. 그러나 아직까지는 대부분의 집이 태양전지를 사용하지 않고 있습니다. 그 이유를 적어보세요.

3 다음은 휘어지는 태양전지에 관한 내용이다.

현재 상용화돼 흔히 쓰이는 실리콘 태양전지는 태양으로부터 온 빛에너지 100 중 25를 전기 에너지로 바꿀 수 있을 만큼 효율이 좋지만(발전 효율 25 %) 딱딱하고 휘어지지 않아 웨어러블 디바이스(wearable device, 시계처럼 몸에 착용할 수 있는 장치) 등에 응용하기 어렵고 가격 또한 비싼 단점이 있었다.
국내 연구팀은 제조 단가가 싸면서도 유연하고 열에 강한 플라스틱 태양전지를 만들었다. 이전까지 개발된 플라스틱 태양전지는 발전 효율이 4 % 정도로 낮았지만, 연구팀은 6 %까지 효율을 끌어올렸다. 6 %의 발전 효율은 플라스틱 태양전지 중 가장 높다.

태양전지

휘어지는 태양전지를 어디에 어떻게 사용하면 좋을지 아이디어 한 가지를 적어 보세요.

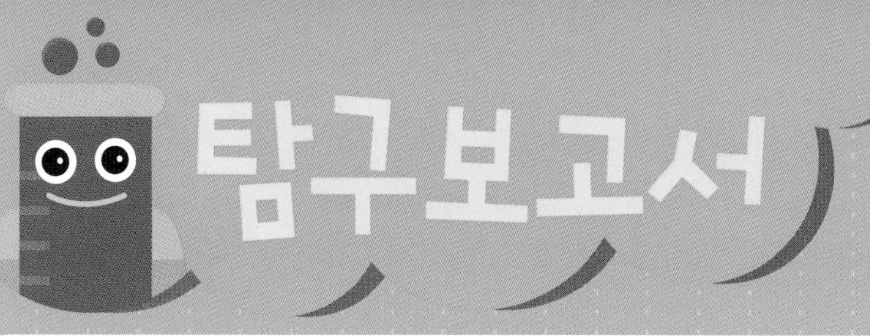

문제인식 1 STEP

1 탐구 주제 (제목)

문제해결 2 STEP

2 탐구 문제 (가설)

3 탐구 방법

❹ 탐구 결과 (표 또는 그래프로 작성)

❺ 탐구 결론

융합사고 3 STEP

❻ 탐구에 대한 나의 의견 (고민, 아쉬운 점, 새로 알게 된 점, 더 연구하고 싶은 점)

활동 평가표

<table>
<tr><td>주제</td><td colspan="5">태양빛을 이용한 수상보트</td></tr>
<tr><td rowspan="2">영역</td><td colspan="2" rowspan="2">평가 기준</td><td colspan="3">평가 척도</td></tr>
<tr><td>우수</td><td>보통</td><td>노력
요함</td></tr>
<tr><td rowspan="4">활동
목표 성취</td><td colspan="2">태양전지의 특징을 말할 수 있었다.</td><td></td><td></td><td></td></tr>
<tr><td colspan="2">학습했던 과학 원리를 응용하여 태양광 수상보트를 빠르게 움직이게 하는 방법을 찾을 수 있었다.</td><td></td><td></td><td></td></tr>
<tr><td colspan="2">더 빠르게 움직이는 태양광 수상보트를 만들면서 창의적 문제해결력을 기를 수 있었다.</td><td></td><td></td><td></td></tr>
<tr><td colspan="2">이 수업을 통해 통합능력과 의사소통능력이 향상되었다.</td><td></td><td></td><td></td></tr>
<tr><td rowspan="5">융합 · 연계
분야 촉진</td><td>과학(S)</td><td>나는 태양광 수상보트를 움직일 수 있는 조건을 알기 위해 노력하였다.</td><td></td><td></td><td></td></tr>
<tr><td>기술(T)</td><td>나는 우리나라에서 태양전지 주택이 많이 없는 이유를 알기 위해 노력하였다.</td><td></td><td></td><td></td></tr>
<tr><td>공학(E)</td><td>나는 휘어지는 태양전지를 활용할 수 있는 곳을 찾기 위해 노력하였다.</td><td></td><td></td><td></td></tr>
<tr><td>예술(A)</td><td>나는 휘어지는 태양전지를 이용해 새롭고 창의적인 제품을 만들기 위해 노력하였다.</td><td></td><td></td><td></td></tr>
<tr><td>수학(M)</td><td>나는 물 위에서 움직이는 수상보트의 속력을 비교하기 위해 노력하였다.</td><td></td><td></td><td></td></tr>
<tr><td>종합 및
기타 의견</td><td colspan="5"></td></tr>
</table>

평가 시 유의사항

※ 활동 평가표는 팀별 프로젝트 활동 중 또는 활동이 끝난 후 작성한다.

※ 활동 평가표의 작성 및 평가 시 유의점은 아래와 같다.

- '평가 척도'는 우수, 보통, 노력 요함이며 해당되는 란에 ∨표 한다.
- 활동 목표는 이 수업을 통해 얻게 된 결과물을 중심으로 평가한다.
- 융합 · 연계분야 성취는 이 활동을 통해 얻게 되는 융합 교육적 효과를 중심으로 평가한다.
- 종합 및 기타 의견에는 수업과 관련한 특이사항 및 종합, 느낀 점, 기타 사항을 기술한다.

영재교육원 대비

안쌤의 창의적 문제해결력

과학 6

1·2 학년

콩이 싹트는 조건

안전한 먹을거리에 대한 관심과 유기농 채소에 대한 엄마들의 열망이 합쳐져 텃밭가꾸기의 인기가 점차 높아지고 있다. 작고 볼품 없어 보이는 텃밭이라도 의지와 열정만 있다면 언젠가는 밥상 가득히 직접 키운 과일과 채소를 올려놓을 수 있다.
상자 텃밭 가꾸기는 아파트 베란다나 옥상 등 자투리 공간을 이용해 작물을 키울 수 있어 손쉽게 시작할 수 있다.
베란다 텃밭에서 기를 수 있는 과일과 채소의 종류는 무궁무진하다. 상추, 쑥갓, 깻잎, 청경채, 부추, 쪽파, 치커리는 자라는 속도가 빨라 베란다 텃밭에서 기르기 좋다.
또한 콩나물과 숙주도 기르는 기간이 5~10일 정도로 짧아 기르기 쉽다.

1 식물은 뿌리, 줄기, 잎, 꽃, 열매로 구성되어 있습니다. 씨앗에서 싹이 터서 제일 처음 나오는 부분을 배축이라고 하며, 배축 아래에서 뿌리가 생깁니다. 우리가 반찬으로 먹는 콩나물의 흰 부분은 어느 부분에 해당하는지 적어보세요.

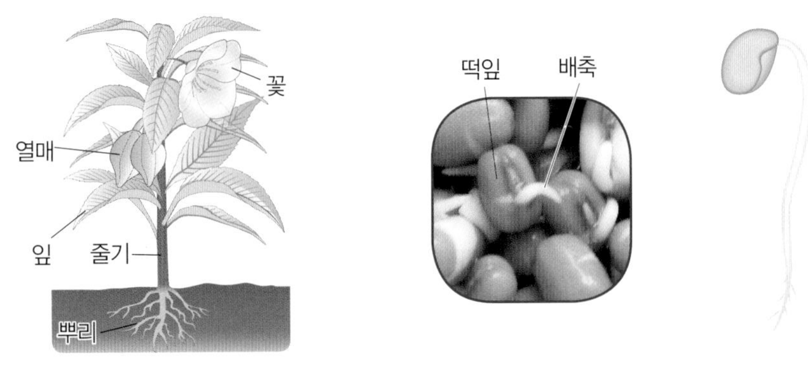

2 식물은 씨앗에서 싹이 터서 자란 후에 씨앗들을 남기고 죽습니다. 콩의 한살이 과정을 순서대로 나열해보세요.

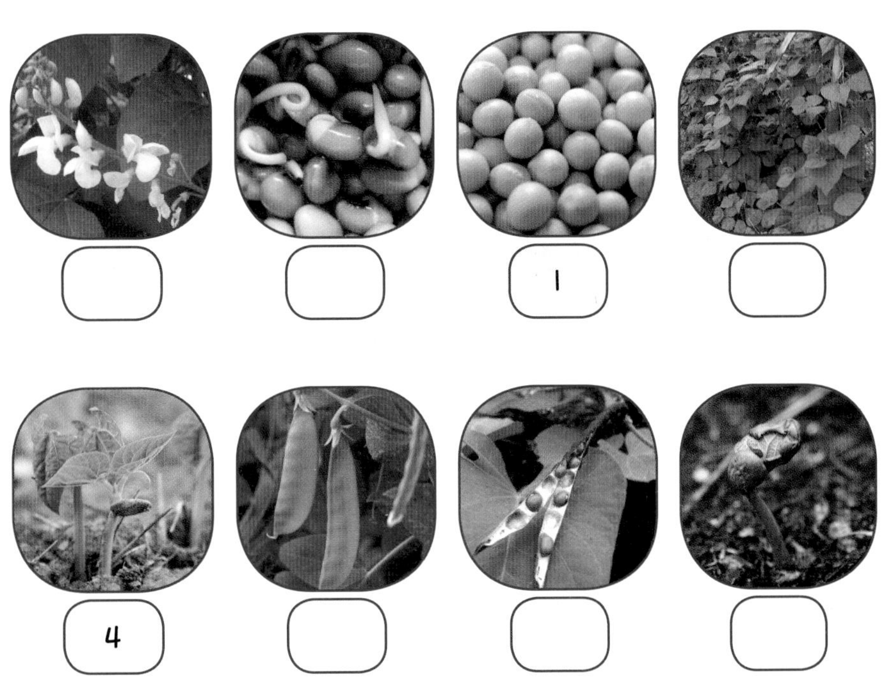

STEP 2

문제해결

1 추운 겨울 동안 황량했던 들판에 봄이 되면 연두색 새싹들이 돋아납니다. 조금만 지나면 들판은 초록색으로 물들 것입니다. 그러나 사막은 봄, 여름, 가을, 겨울 계절에 관계없이 식물들이 자라지 않는 흙과 모래만 가득한 황무지입니다.

❶ 씨앗이 겨울을 보내고 봄이 되면 싹을 틔우는 이유를 적어보세요.

❷ 사막에서 식물이 자라지 않는 이유를 적어보세요.

2 콩나물 콩을 키워 콩나물 반찬을 만들려고 합니다. 콩나물 콩이 싹트는 데 필요한 것은 무엇일까요?

3 콩나물 콩이 싹트는 데 필요한 것을 확인할 수 있는 실험을 계획해보세요.

실험 1 ▶ 페트병으로 화분 만들기

① 뚜껑에 송곳으로 구멍을 뚫는다.

주의 송곳에 손이 찔리지 않도록 주의한다.

② 페트병을 뚜껑에서 $\frac{2}{3}$ 지점을 자른다.

③ 뚜껑 쪽 페트병을 뒤집어서 바닥 페트병 안에 넣는다.

④ 페트병 안에 솜을 깔아 놓는다.

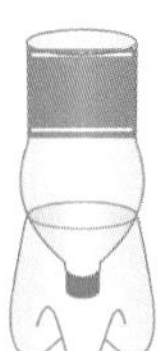

가설

콩나물 콩이 싹트는 데 ________________이 필요할 것이다.

실험방법

- 같게 해야 할 것 :
- 다르게 해야 할 것 :

①

②

③

④

STEP 3

융합사고

1 우리가 먹는 콩나물은 물은 충분히 주지만 빛을 보지 못하게 검은 천으로 덮어서 싹을 틔운 것입니다. 콩나물 콩을 계속 햇빛을 주지 않고 키우면 어떻게 될지 적어보세요.

2 콩이나 벼와 같은 식물은 여름에 꽃을 피우고 씨를 만든 뒤 가을에 죽습니다. 식물이 씨앗을 만드는 이유를 적어보세요.

3 다음은 제철 과일과 채소에 관한 내용입니다.

- 봄에 나는 과일과 채소 : 딸기, 앵두, 방울토마토, 매실, 우엉, 냉이, 달래, 냉이, 쑥, 미나리, 시금치, 더덕 등
- 여름에 나는 과일과 채소 : 수박, 포도, 토마토, 블루베리, 복숭아, 참외, 살구, 체리, 자두, 참나물, 도라지, 오이, 양송이, 완두, 상추, 양파, 깻잎 등
- 가을에 나는 과일과 채소 : 사과, 배, 귤, 감, 대추, 키위, 석류, 블루베리, 유자, 참나물, 무, 채소, 늙은 호박, 옥수수 등
- 겨울에 나는 과일과 채소 : 한라봉, 귤, 오렌지, 배추, 무, 우엉, 늙은 호박, 더덕 등

대부분의 과일과 채소는 여름과 가을에 많이 나며 추운 겨울에는 나지 않습니다. 겨울에도 여름과 가을에 나는 과일과 채소를 먹을 수 있는 방법을 두 가지 적어보세요.

탐구보고서

문제인식 1 STEP

① 탐구 주제 (제목)

문제해결 2 STEP

② 탐구 문제 (가설)

③ 탐구 방법

4 탐구 결과 (표 또는 그래프로 작성)

5 탐구 결론

융합사고 3 STEP

6 탐구에 대한 나의 의견 (고민, 아쉬운 점, 새로 알게 된 점, 더 연구하고 싶은 점)

활동 평가표

<table>
<tr><td>주제</td><td colspan="5">콩이 싹트는 조건</td></tr>
<tr><td rowspan="2">영역</td><td colspan="2" rowspan="2">평가 기준</td><td colspan="3">평가 척도</td></tr>
<tr><td>우수</td><td>보통</td><td>노력 요함</td></tr>
<tr><td rowspan="4">활동 목표 성취</td><td colspan="2">씨앗이 싹트는 데 필요한 조건을 말할 수 있었다.</td><td></td><td></td><td></td></tr>
<tr><td colspan="2">학습했던 과학 원리를 응용하여 콩이 싹트는 데 필요한 조건을 알아보는 실험을 설계할 수 있었다.</td><td></td><td></td><td></td></tr>
<tr><td colspan="2">콩이 싹트는 데 필요한 조건을 알아보는 실험을 설계하면서 창의적 문제해결력을 기를 수 있었다.</td><td></td><td></td><td></td></tr>
<tr><td colspan="2">이 수업을 통해 통합능력과 의사소통능력이 향상되었다.</td><td></td><td></td><td></td></tr>
<tr><td rowspan="5">융합 · 연계 분야 촉진</td><td>과학(S)</td><td>나는 씨앗이 겨울을 보낸 후 봄에 싹을 틔우는 이유를 알기 위해 노력하였다.</td><td></td><td></td><td></td></tr>
<tr><td>기술(T)</td><td>나는 콩이 싹트는 데 필요한 조건을 알아보는 장치를 만들면서 각 재료들을 변형하는 능력을 발휘하였다.</td><td></td><td></td><td></td></tr>
<tr><td>공학(E)</td><td>나는 추운 겨울에도 여름과 가을에 나는 과일과 채소를 먹을 수 있는 방법을 찾기 위해 노력하였다.</td><td></td><td></td><td></td></tr>
<tr><td>예술(A)</td><td>나는 추운 겨울에도 여름과 가을에 나는 과일과 채소를 먹을 수 있는 방법을 새롭고 창의적으로 생각하기 위해 노력하였다.</td><td></td><td></td><td></td></tr>
<tr><td>수학(M)</td><td>나는 식물의 한살이 과정을 순서대로 나열하기 위해 노력하였다.</td><td></td><td></td><td></td></tr>
<tr><td>종합 및 기타 의견</td><td colspan="5"></td></tr>
</table>

평가 시 유의사항

※ 활동 평가표는 팀별 프로젝트 활동 중 또는 활동이 끝난 후 작성한다.

※ 활동 평가표의 작성 및 평가 시 유의점은 아래와 같다.

- '평가 척도'는 우수, 보통, 노력 요함이며 해당되는 란에 ∨표 한다.
- 활동 목표는 이 수업을 통해 얻게 된 결과물을 중심으로 평가한다.
- 융합 · 연계분야 성취는 이 활동을 통해 얻게 되는 융합 교육적 효과를 중심으로 평가한다.
- 종합 및 기타 의견에는 수업과 관련한 특이사항 및 종합, 느낀 점, 기타 사항을 기술한다.

영재교육원 대비

안쌤의 창의적 문제해결력

과학 7

1·2 학년

STEP 1 **문제인식**

공기로 날아가는 로켓

1차 실패, 2차 실패, 3차 발사의 두 번 연기를 거쳐 드디어 나로호(KSLV-I) 발사에 성공했다. 2013년 1월 30일 오후 4시, 엄청난 수증기와 초고온의 불꽃을 뿜어내며 나로호가 대지를 박차고 우주로 솟아올랐다. 나로호는 고도 7.2 km 거리에서 음속(시속 1225 km)을 돌파했고, 고도 177 km에서 로켓 1단과 2단을 연결하는 페어링을 분리한 후 고도 193 km에서 1단 분리가 이뤄졌다. 발사 6분 35초 후 2단 로켓의 엔진 점화가 이뤄졌고 7분 33초에 목표 궤도에 진입해 2단 로켓의 연소가 끝났다. 이륙 9분 만에 위성 분리가 이뤄졌다. 나로호는 540초, 9분간의 비행 끝에 나로과학위성을 궤도에 올려놓는데 성공했다. 나로호 발사 성공으로 우리나라는 11번째로 스페이스 클럽에 가입했다.

나로호 발사

나로호는 100 kg급의 소형인공위성을 지구궤도에 진입시킨 대한민국 최초의 우주발사체인 운반 로켓으로, 길이는 약 33 m이고 직경은 2.9 m이며 총중량은 140 톤 규모다.

1 나로호는 대기권을 뚫고 우주 공간으로 나간 우리나라의 첫 번째 우주발사체인 로켓입니다. 로켓인 나로호의 역할을 적어보세요.

2 에어로켓, 물로켓, 화약로켓, 나로호 등 로켓이 날아가기 위해 필요한 것을 적어보세요.

- 에어로켓 :
- 물로켓 :
- 화약로켓 :
- 나로호 :

STEP 2 문제해결

1 나로호가 발사될 때 로켓 아래로 엄청난 양의 수증기와 불꽃을 뿜어내는 모습을 볼 수 있습니다. 로켓이 발사되는 원리를 적어보세요.

2 다음 방법으로 에어로켓을 만들어 보세요.

실험 1

① 주름빨대의 구부러지는 부분의 아래를 자른다.
② 빨대에 날개와 몸통 스티커를 붙인다.
③ 로켓 윗부분에 탄두를 씌운다.
④ 주사기에 파란색 관을 끼우고 투명관을 끼운다.
⑤ 피스톤을 당긴 후 투명관에 로켓을 끼우고 피스톤을 누른다.

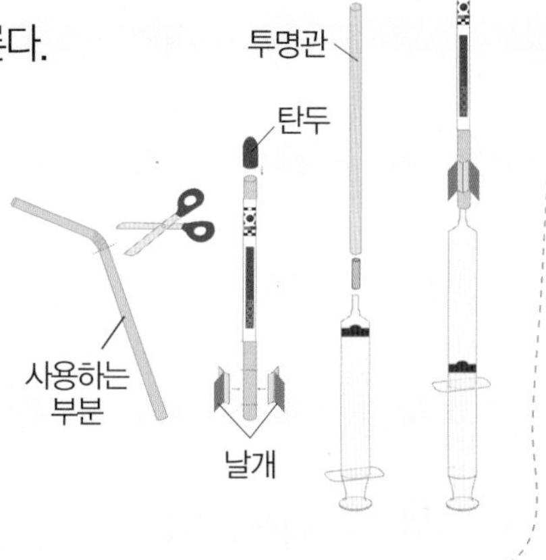

에어로켓이 날아가는 원리를 적어보세요.

에어로켓

3 어떻게 하면 에어로켓을 멀리 날아가게 할 수 있을까요?

1. 내가 만든 에어로켓을 더 멀리 날아가게 할 수 있는 방법을 두 가지 적어보세요.

2. 내가 생각한 방법이 맞는지 확인할 수 있는 실험을 계획해보세요.

_______________면 에어로켓이 멀리 날아갈 것이다.

실험방법

- 같게 해야 할 것 :
- 다르게 해야 할 것 :

①

②

③

④

⑤

STEP 3

융합사고

1 좋은 로켓을 개발하기 위해서는 로켓의 몸은 가능한 가볍게 하고 힘(추진력)은 가능한 크게 해야 합니다. 효율적인 로켓을 만들기 위해 다양한 방식의 로켓 구조가 개발되었지만 대부분의 로켓은 기본적으로 다음과 같은 모습을 갖추고 있습니다.

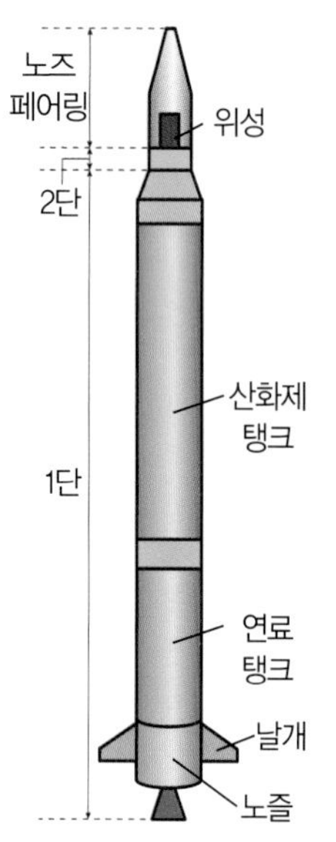

① 로켓의 앞부분이 뾰족한 이유를 적어보세요.

② 로켓을 1단, 2단으로 분리되도록 만드는 이유를 적어 보세요.

2 나로호 개발은 2002년 8월부터 2013년 4월까지 진행되었으며, 사업비만 5025억 원이라는 어마어마한 돈이 투입되었습니다. 그러나 나로호에 탑재한 나로과학위성은 수명 1년의 위성으로, 우주에 올라간지 14개월 만에 통신이 끊어져 지금은 우주쓰레기로 지구 주위를 떠돌고 있습니다. 엄청난 예산을 들여 나로호를 연구 개발한 이유를 적어보세요.

3 과학의 달이 되면 학교에서 물로켓 대회를 합니다.

물로켓은 페트병에 물을 조금 넣고 압축공기를 불어 넣은 후 순간적으로 물과 공기를 밖으로 빠져나가게 하여 발사시키는 로켓이다. 페트병에 물을 조금 넣고 압축 공기를 넣게 되면 페트병 속의 압력이 올라간다. 손잡이를 눌러 마개를 개방하면 병 속에서 공기에 의해 압력을 받고 있던 물이 밀려나오고 그 힘에 의해 로켓은 반대쪽으로 날아간다.

물로켓을 멀리 날릴 수 있는 방법을 두 가지 적어보세요.

물로켓 발사

탐구보고서

문제인식 1 STEP

❶ 탐구 주제 (제목)

문제해결 2 STEP

❷ 탐구 문제 (가설)

❸ 탐구 방법

❹ 탐구 결과 (표 또는 그래프로 작성)

❺ 탐구 결론

융합사고 3 STEP

❻ 탐구에 대한 나의 의견 (고민, 아쉬운 점, 새로 알게 된 점, 더 연구하고 싶은 점)

활동 평가표

주제	공기로 날아가는 로켓				
영역	평가 기준		평가 척도		
			우수	보통	노력 요함
활동 목표 성취	로켓의 발사 원리를 말할 수 있었다.				
	학습했던 과학 원리를 응용하여 에어로켓을 더 멀리 날아가게 하는 방법을 찾을 수 있었다.				
	더 멀리 날아가는 에어로켓을 만들면서 창의적 문제해결력을 기를 수 있었다.				
	이 수업을 통해 통합능력과 의사소통능력이 향상되었다.				
융합 · 연계 분야 촉진	과학(S)	나는 엄청난 예산을 들여 나로호를 발사하는 이유를 알기 위해 노력하였다.			
	기술(T)	나는 더 멀리 날아가는 에어로켓을 만들기 위해 각 재료들을 기능에 맞게 변형하는 능력을 발휘하였다.			
	공학(E)	나는 물로켓을 멀리 날릴 수 있는 방법을 찾기 위해 노력하였다.			
	예술(A)	나는 새롭고 창의적인 방법을 더 멀리 날아가는 에어로켓을 만들기 위해 노력하였다.			
	수학(M)	나는 에어로켓이 날아가는 거리를 측정하고 수학적으로 해석하기 위해 노력하였다.			
종합 및 기타 의견					

평가 시 유의사항

※ 활동 평가표는 팀별 프로젝트 활동 중 또는 활동이 끝난 후 작성한다.

※ 활동 평가표의 작성 및 평가 시 유의점은 아래와 같다.

- '평가 척도'는 우수, 보통, 노력 요함이며 해당되는 란에 V표 한다.
- 활동 목표는 이 수업을 통해 얻게 된 결과물을 중심으로 평가한다.
- 융합 · 연계분야 성취는 이 활동을 통해 얻게 되는 융합 교육적 효과를 중심으로 평가한다.
- 종합 및 기타 의견에는 수업과 관련한 특이사항 및 종합, 느낀 점, 기타 사항을 기술한다.

영재교육원 대비

안쌤의 창의적 문제해결력

과학 8

1·2 학년

문제인식

오줌싸개 인형의 원리

활주로에서 기름을 줄줄 흘리는 비행기가 있다. 이 비행기는 'SR-71(블랙버드)'로, 인류 역사상 가장 빠르고 가장 높이 날았던 유인 비행기이다. 세계 최고 속도의 비행기가 기름을 줄줄 흘리는 이유는 블랙버드의 연료통을 이어 놓은 연결 고리가 느슨하기 때문이다. 꽉 조여 놓지 않았으니 기름이 조금씩 샐 수밖에 없다.
블랙버드가 날아다니는 높이는 26 km 이상의 하늘이다. 이곳의 공기는 −53 ℃ 정도로 아주 차갑지만, 소리보다 3배(시속 약 4000 km)나 빨리 나는 블랙버드는 이런 온도에 영향을 받지 않는다. 대신 빨리 날면서 공기와 부딪쳐 오히려 열을 받게 되어 블랙버드의 온도는 300 ℃까지 올라간다.
활주로에서 기름을 흘리던 블랙버드가 높은 하늘을 빠르게 날면 더 이상 기름을 흘리지 않는다.
블랙버드가 활주로에서 기름을 흘리도록 만든 이유는 무엇일까?
블랙버드가 비행할 때는 기름을 흘리지 않는 이유는 무엇일까?

다음 실험을 통해 온도와 공기의 부피 관계를 알아보세요.

실험 1

① 유리병 입구를 비눗물에 담가 비누막을 만든다.

② 유리병을 뜨거운 물이 담긴 비커에 넣어본다.

③ 뜨거운 물에 담긴 유리병을 식힌 후 얼음물이 담긴 비커에 넣어본다.

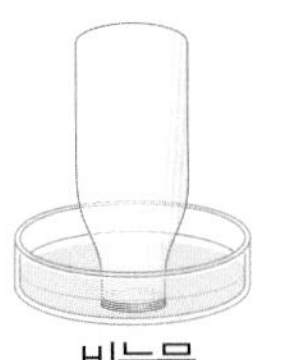

비눗물

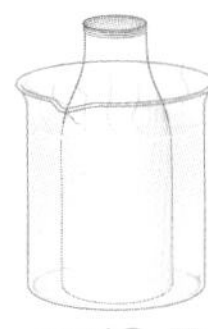

뜨거운 물

얼음물

유리병을 뜨거운 물과 차가운 물에 넣었을 때 비누막의 변화를 그림으로 그려보세요.

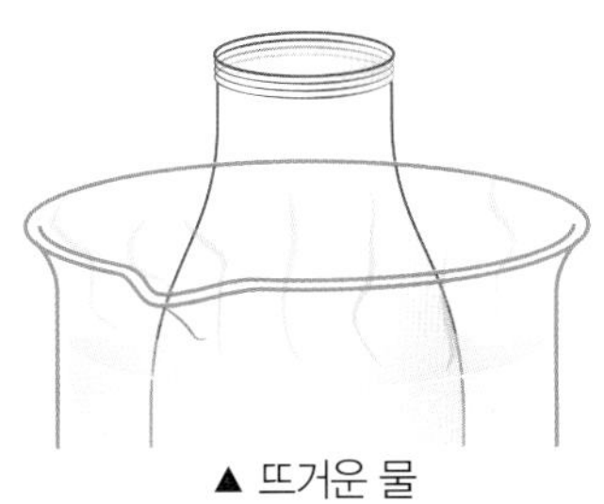

▲ 뜨거운 물

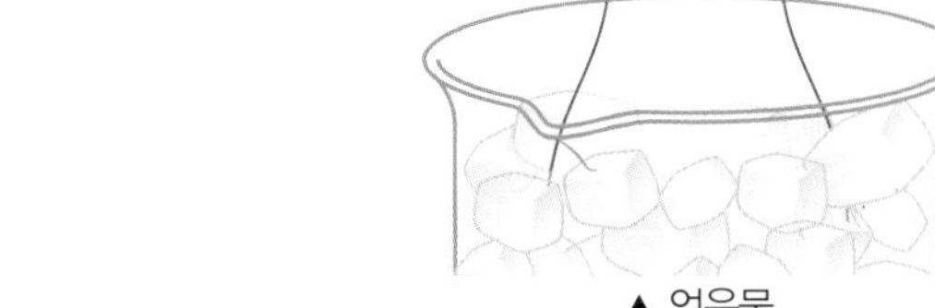

▲ 얼음물

2 유리병을 뜨거운 물에 넣었을 때와 얼음물에 넣었을 때 유리병 안의 공기 알갱이 사이의 간격을 비교하여 적어보세요.

- 뜨거운 물에 넣은 유리병 안의 공기 :

- 얼음물에 넣은 유리병 안의 공기 :

STEP 2

문제해결

1 다음은 오줌싸개 인형을 이용한 실험입니다. 각 실험 단계의 결과를 자세히 찰하세요.

실험 1

① 오줌싸개 인형을 뜨거운 물에 담근다. (인형이 떠오르지 않도록 막대로 눌러준다.)

② 뜨거운 물에 담근 오줌싸개 인형을 차가운 물에 담근다.

③ 차가운 물에 있던 오줌싸개 인형을 쟁반 한 쪽에 놓고 머리 위에 뜨거운 물을 조금씩 붓는다. (큰 쟁반을 이용한다.)

뜨거운 물

차가운 물

오줌싸개 인형

❶ 오줌싸개 인형을 뜨거운 물에 넣었을 때 나타나는 변화를 적어보세요.

❷ 오줌싸개 인형을 차가운 물에 넣었을 때 나타나는 변화를 적어보세요.

❸ 오줌싸개 인형 머리 위에 뜨거운 물을 부었을 때 나타나는 변화를 적어보세요.

2 어떻게 하면 오줌싸개 인형이 오줌을 많이 오랫동안 싸게 할 수 있을까요?

1. 오줌싸개 인형이 오줌을 많이 오랫동안 싸게 할 수 있는 방법을 두 가지 적어보세요.

2. 내가 생각한 방법이 맞는지 확인할 수 있는 실험을 계획해보세요.

가설

____________________면 오줌싸개 인형이 오줌을 오랫동안 쌀 것이다.

실험방법

①

②

③

④

⑤

예상되는 결과

STEP 3

융합사고

1 여름에 과자 봉지를 뜨거운 햇볕 아래 놓아두면 봉지가 점점 부풀다가 터지기도 합니다. 그 이유를 추리하여 적어보세요.

2 기체뿐만 아니라 고체와 액체도 열을 받으면 부피가 증가하고 열을 잃으면 부피가 감소합니다. 우리 주위에서 액체와 고체가 열에 의해 부피가 변하는 경우를 세 가지 적어보세요.

3 다음은 제주도 용머리 해안에 관한 내용입니다.

유네스코가 세계지질공원으로 지정한 제주 용머리 해안은 만조 때 잠겼던 산책로가 드러나면 뒤쪽의 산방산과 함께 멋진 풍경을 이룬다. 80년대 해안을 따라 해안산책로를 조성했지만 지금은 하루에 8시간은 출입이 통제되고 1년 중 81일은 바닷물에 잠기거나 파도가 넘쳐 탐방객의 출입이 금지되었다. 또한 옛날보다 더 높은 곳으로 다니도록 새로운 길을 만들었다. 이는 제주의 해수면이 지난 40여 년 동안 20 cm 넘게 높아진 탓이다.

용머리 해안

1. 제주도의 해수면이 상승한 이유를 적어보세요.

2. 부산에 있는 섬인 영도는 해수면 상승 속도가 빨라 침수 대책 마련이 시급하다는 연구 결과가 나왔습니다. 해수면 상승에 의한 피해를 줄이기 위한 대책을 두 가지 적어보세요.

탐구보고서

문제인식 1 STEP

❶ 탐구 주제 (제목)

문제해결 2 STEP

❷ 탐구 문제 (가설)

❸ 탐구 방법

4 탐구 결과 (표 또는 그래프로 작성)

5 탐구 결론

융합사고 3 STEP

6 탐구에 대한 나의 의견 (고민, 아쉬운 점, 새로 알게 된 점, 더 알고 싶은 점)

활동 평가표

<table>
<tr><th>주제</th><th colspan="5">오줌싸개 인형의 원리</th></tr>
<tr><td rowspan="2">영역</td><td colspan="2" rowspan="2">평가 기준</td><td colspan="3">평가 척도</td></tr>
<tr><td>우수</td><td>보통</td><td>노력 요함</td></tr>
<tr><td rowspan="4">활동 목표 성취</td><td colspan="2">온도와 공기의 부피 관계를 말할 수 있었다.</td><td></td><td></td><td></td></tr>
<tr><td colspan="2">학습했던 과학 원리를 응용하여 오줌싸개 인형이 오랫동안 오줌을 많이 싸게 할 수 있는 방법을 찾을 수 있었다.</td><td></td><td></td><td></td></tr>
<tr><td colspan="2">오줌싸개 인형이 오랫동안 오줌을 많이 싸게 하는 방법을 고안하면서 창의적 문제해결력을 기를 수 있었다.</td><td></td><td></td><td></td></tr>
<tr><td colspan="2">이 수업을 통해 통합능력과 의사소통능력이 향상되었다.</td><td></td><td></td><td></td></tr>
<tr><td rowspan="5">융합 · 연계 분야 촉진</td><td>과학(S)</td><td>나는 온도와 물체의 부피 변화 관계를 알기 위해 노력하였다.</td><td></td><td></td><td></td></tr>
<tr><td>기술(T)</td><td>나는 우리 주위의 물체가 열에 의해 부피가 변하는 경우를 찾기 위해 노력하였다.</td><td></td><td></td><td></td></tr>
<tr><td>공학(E)</td><td>나는 오줌싸개 인형이 오랫동안 오줌을 많이 싸게 만들기 위해 각 재료들을 기능에 맞게 변형하는 능력을 발휘하였다.</td><td></td><td></td><td></td></tr>
<tr><td>예술(A)</td><td>나는 해수면 상승에 의한 피해를 줄이기 위해 새롭고 창의적인 대책을 찾기 위해 노력하였다.</td><td></td><td></td><td></td></tr>
<tr><td>수학(M)</td><td>나는 온도와 공기의 부피 변화의 관계를 수학적으로 해석하기 위해 노력하였다.</td><td></td><td></td><td></td></tr>
<tr><td>종합 및 기타 의견</td><td colspan="5"></td></tr>
</table>

평가 시 유의사항

※ 활동 평가표는 팀별 프로젝트 활동 중 또는 활동이 끝난 후 작성한다.

※ 활동 평가표의 작성 및 평가 시 유의점은 아래와 같다.

- '평가 척도'는 우수, 보통, 노력 요함이며 해당되는 란에 ∨표 한다.
- 활동 목표는 이 수업을 통해 얻게 된 결과물을 중심으로 평가한다.
- 융합 · 연계분야 성취는 이 활동을 통해 얻게 되는 융합 교육적 효과를 중심으로 평가한다.
- 종합 및 기타 의견에는 수업과 관련한 특이사항 및 종합, 느낀 점, 기타 사항을 기술한다.

부록

안쌤이 추천하는

초등 과학 대회

[연간 진행되는 과학 대회 중 주요 대회 리스트]

4월

자연관찰탐구대회 - 교내 대회

과학탐구실험대회 - 교내 대회

과학탐구토론대회 - 교내 대회

학생 과학발명품 경진대회 - 교내 대회

6월

전국 초등과학 창의사고력대회
- 서울교육대학교 주최

7월

한국과학창의력대회
- 과교총(한국과학교육단체총연합회) 주최

10월

한국영재올림피아드 - 대교
(한국수학교육학회, 한국과학교육학회 출제) 주최

01 자연관찰탐구대회

목적

자연 현상과 사물의 관찰을 통해 자연의 이치를 이해하고, 자연에 대한 흥미와 호기심을 가지게 하여 자기 주도적인 탐구 능력을 신장시킨다.

개요

★ 초등학교부와 중학교부로 나누어 개최한다.

★ 참가대상은 초등학교 5학년과 중학교 1학년이며, 학생 2명이 한 팀으로 출전한다.

★ 지도교사는 1명으로 하며, 같은 학교의 학생을 지도한다.

★ 시 • 도 예선대회에서 선발된 팀이 전국대회에 참가한다.

★ 지정된 지역에서 자연 현상에 대한 제시된 주제를 관찰 • 탐구하여, 그 과정과 결과를 보고서로 제출한다.

★ 관찰계획부터 보고서 제출까지의 전 과정을 평가하며 사전 지식으로 보고서를 작성하지 않도록 한다.

예선대회

★ 시 · 도 과교총 주관으로 실시한다.

★ 예선대회 개최 기간 : 4월~7월 중 (시 • 도 과교총에서 8월 중 한국과교총으로 신청)

전국대회

★ 한국과학교육단체총연합회 주관으로 실시한다.

★ 참가대상 및 인원

– 초등학교 5학년 : 시 • 도 예선에서 선발된 49개 팀 98명

– 중학교 1학년 : 시 • 도 예선에서 선발된 49개 팀 98명

★ 개최 일자 : 9월 중

출제문항 유형

초등-예선

문제 1 다음 중 과학에 대한 설명으로 가장 적절한 것은?

① 자연 현상에 대해 주관적인 신념에 바탕을 둔 이론이나 법칙을 세우는 활동
② 어떤 영역의 대상을 객관적인 방법으로 체계적으로 연구하는 활동
③ 인간 생활을 편리하게 해 주는 각종 시설이나 제도를 만드는 활동
④ 산과 자연 현상 사이의 관계를 탐구하는 활동
⑤ 탐구 활동을 위해 생태계를 파괴하는 활동

문제 2 콩이 싹트는데 햇빛이 영향을 주는지 알아보기 위하여 2개의 화분에 종류와 무게가 같은 콩을 심고 다음과 같은 실험을 설계하였다. 이 실험 설계에서 잘못된 부분을 고치면?

화분	햇빛	온도	물
A	암실	20℃	안준다.
B	양지바른 곳	20℃	충분히 준다.

① 두 화분에 모두 물을 주지 말아야 한다.
② 두 화분을 모두 암실에 놓아야 한다.
③ 두 화분에 모두 물을 충분히 주어야 한다.
④ 두 화분의 온도를 다르게 해 주어야 한다.
⑤ 두 화분에 심는 콩의 종류가 달라야 한다.

문제 3 가설을 검증하는 실험을 한 결과, 가설이 틀린 것으로 판명되었다. 다음 중 올바른 자세는?

① 연구를 중단한다.
② 연구의 주제를 바꾼다.
③ 틀린 점을 분석하여 새로운 가설을 세운다.
④ 가설이 옳다고 증명이 될 때까지 실험한다.
⑤ 가설에 맞는 자료만을 사용하여 다시 결론을 내린다

중등-예선

문제 1 과학 탐구 과정의 여러 단계 중에서 연역적 탐구 방법에는 있으나 귀납적 탐구 방법에 없는 단계는 어느 것인가?

① 자연 현상 관찰　② 가설 설정　③ 관찰 방법과 절차 고안　④ 자료 해석　⑤ 결론 도출

문제 2 다음은 어떤 과학자의 실험이다. 실험에서 수정해야 할 부분을 가장 바르게 설명한 것은?

> 연어가 알을 낳을 때는 자신이 태어난 고향 하천을 찾아간다는 사실 알고 '어떻게 그 장소를 찾아가는 것일까?' 하는 의문이 생겼다. 후각을 마비시키면 고향 하천을 찾아오지 못할 것이라는 가설을 세웠다. 크기가 비슷하고 종류가 같은 연어를 100마리 구하여 후각을 마비시키고 표지를 붙여 방류시킨 후 얼마나 많은 연어가 돌아오는지를 알아보았다. 후각을 마비시킨 연어는 10마리 만이 되돌아 왔다. 연어는 고향 하천에 대한 냄새를 기억하여 찾아올 것이라는 결론을 내렸다.

① 실험시 대조군을 설정하지 않았다.
② 가설을 잘못 세웠다.
③ 결론이 수정되어야 한다.
④ 실험결과 가설이 옳지 않으므로 새로운 가설을 세워야 한다.
⑤ 실험에서의 처리가 가설과 일치하지 않는다.

문제 3 철수와 영희는 토양의 배수 관계를 알아보기 위해 다음과 같은 실험을 하였다.

> 점토, 잔모래, 굵은 모래, 잔 자갈을 물이 잘 빠질 수 있게 만들어진 개의 같은 그릇에 동일한 양을 누르지 않고 자연스럽게 담았다. 이 개의 그릇에 같은 양의 물을 붓고, 물이 거의 다 빠져 나오는데 걸린 시간을 측정하였다.

이 탐구 활동에서 철수와 영희가 체계적으로 변화시켜 준 물리량은?

① 실험시 대조군을 설정하지 않았다.
② 가설을 잘못 세웠다.
③ 결론이 수정되어야 한다.
④ 실험결과 가설이 옳지 않으므로 새로운 가설을 세워야 한다.
⑤ 실험에서의 처리가 가설과 일치하지 않는다.

출제문항 유형

초등-전국

과제 1 지정된 장소에서 잔디밭과 주변의 식물(풀)을 관찰해보면 식물(풀)이 자라는 모양은 종류에 따라 모두 다름을 알 수 있습니다. 식물(풀)이 자라는 모양(유형)을 세 가지로 나누고 그림과 글로 설명해 봅시다.

과제 2 각각의 식물(풀)이 자라는 모양(유형)이 갖는 장점과 단점을 제시해 봅시다.

과제 3 '잔디는 적절히 밟아 주어야 잘 자란다'는 말이 있습니다. 이 말이 맞는지 틀리는지를 과학적으로 알아볼 수 있는 방법을 두 가지 이상 제시해 봅시다.

과제 4 사람들이 공원 잔디밭에 들어가는 경우와 관련하여 적절한 잔디밭 관리 방법을 이유와 함께 제시해 봅시다.

중등-전국

과제 1 일정한 공간에 메타세콰이어로 그늘을 만들고 이 나무들이 튼튼하게 잘 자라게 하려고 합니다.

① 이러한 조건을 모두 충족시킬 수 있는 메타세콰이어 나무 사이의 가장 적절한 거리를 알아낼 수 있는 방법을 두 가지 이상 제시하시오.

② 이 중에서 한 가지 방법을 선택하여 메타세콰이어의 개체 간 최적거리를 알아내어 제시하시오.

③ ②번과 같이 제시한 이유를 과학적으로 설명하시오.

과제 2 탐구 장소에는 여러 가지 나무들이 자라고 있다. 관찰을 통해 이 나무들이 자라는 유형을 두 가지로 나누고 각 유형의 특징을 그림과 글로 설명하시오.

과제 3 흔히 소나무는 상록수라고 하는데, 현재 탐구 장소에서 자라고 있는 소나무의 모습을 관찰하여 소나무 잎의 수명을 알아내는 과학적 원리와 그 원리를 토대로 알아낸 소나무 잎의 수명을 제시하시오.

02 과학탐구실험대회

목적

실험주제를 과학적이고 창의적인 방법으로 해결하는 탐구실험의 기회를 제공함으로써 창의적인 사고력 신장과 과학에 대한 흥미를 일깨운다.

개요

- ★ 초등학교부와 중학교부로 나누어 개최한다.
- ★ 참가대상은 초등학교 6학년과 중학교 2학년이며, 학생 2명이 한 팀으로 출전한다.
- ★ 지도교사는 1명으로 하며, 같은 학교의 학생을 지도한다.
- ★ 시 • 도 예선대회에서 선발된 팀이 전국대회에 참가한다.
- ★ 학교에서 학습한 과학전반에 관한 내용을 평가하며, 제시된 실험주제를 2명이 협력하여 실험을 설계하고 창의적으로 실험을 실시하여 그 과정과 결과를 보고서로 제출한다.
- ★ 실험설계부터 보고서 제출까지의 전 과정을 평가한다.
- ★ 과학적인 방법을 통하여 해결할 수 있는 통합적이고 종합적인 단일문제를 출제한다.
- ★ 실험평가 시간은 120분~180분 사이이며, 난이도에 따라 조정된다.

예선대회

- ★ 시 · 도 과교총 주관으로 실시하여 선발한다.
- ★ 예선대회 개최 기간 : 4월~7월 중 (시 • 도 과교총에서 7월 중 한국과교총으로 신청)

전국대회

- ★ 한국과학교육단체총연합회 주관으로 실시한다.
- ★ 참가대상 및 인원(서울 • 경기 : 3개 팀, 세종시 : 1개 팀, 나머지 시 • 도 : 2개 팀)
  - 초등학교 6학년 : 시 • 도 예선에서 선발된 35개 팀 70명
  - 중학교 2학년 : 시 • 도 예선에서 선발된 35개 팀 70명
- ★ 개최 일자 : 8월 중
- ★ 개최 장소 : 서울특별시과학전시관

출제문항 유형

초등

탐구 과제

[Ⅰ] 수련 잎과 개나리 잎을 주어진 실험기구를 사용하여 관찰해 봅시다.

❶ 두 식물 잎을 관찰할 수 있는 계획을 세워 봅시다.

❷ 두 식물 잎의 공통점과 차이점을 찾아봅시다.

[Ⅱ] 수련의 잎이 갈라진 원인을 알아봅시다.

❶ 수련의 잎이 갈라진 원인에 대한 가설을 설정해 봅시다.

❷ 가설을 확인할 수 있는 실험계획을 세워 봅시다.

❸ 실험계획에 따라 실험을 수행하여 봅시다.

❹ 실험결과를 정리하고 보고서를 작성해 봅시다.

중등

탐구 과제

[Ⅰ] 모래의 구성 성분 관찰하기

❶ 모래의 관찰 계획을 세워 봅시다.

❷ 관찰결과를 분류하여 봅시다.

[Ⅱ] 모래의 구성 성분 규명하여 고향 찾기

❶ 구성 성분의 물리, 화학적 성질을 확인할 수 있는 실험방법을 구상하여 실험계획을 세워 봅시다.

❷ 실험계획에 따라 실험을 수행하여 봅시다.

❸ 실험결과를 과학적으로 정리하여 봅시다.

❹ 위 결과를 이용하여 각 모래의 형성과정을 설명하고, 각 모래의 채취 위치를 과학적으로 추론하여 봅시다.

03 과학탐구토론대회

목적

주어진 탐구주제 중 스스로 탐구문제를 발견하고 창의적으로 문제를 해결하며 토론을 통해 의사교환 함으로써 창의적 문제해결력 증진 및 과학 토론능력 배양과 더불어 과학문화에 대한 폭넓은 이해와 과학적 소양을 함양한다.

참가대상

가 초등학생, 중학생, 고등학생

나 참가팀의 구성 : 3인 1팀

1) 반드시 현직에 있는 지도교사 1인이 있어야 한다.

2) 팀원 3명은 동일 시 • 도 교육청 소속이어야 한다.

교내 대회 기간

가 탐구보고서 제출 및 심사 : 4월 11일~15일

나 탐구토론 : 4월 21일~28일

대회준비

가 제시된 탐구주제에 대한 세부 주제를 결정하여 대회에 참가해야 한다.

* 논문요약서 및 논문에 기재하고 해당 주제에 맞게 탐구해야 한다.

나 작성 및 제출방법

- 논문요약서 : 논문내용을 요약하여 1쪽으로 작성(반드시 1쪽으로 작성)
- 논문 작성 : 30쪽 이내 국문으로 작성하고, 논문을 제출하지 않은 팀은 대회 참가를 포기한 것으로 간주(용량제한 : 100M)
- 논문 내용 : 문제해결에 있어 해결방향, 이론적 접근, 실험내용, 연구결과, 연구과정 등을 기록
- 대회 발표자료 : 참가팀은 해결된 연구결과가 각 문제마다 15분간 발표할 수 있도록 발표 자료를 작성하고, 대회당일 파일로 제출 * 발표 자료의 형식은 PPT 버전 2010으로 제한

대회규칙

가 3인 1팀으로 협력하여 탐구주제와 관련된 탐구문제를 포착한다.

나 각 팀별로 포착한 탐구문제를 해결하기 위하여 기본 기구, 약품, 센서, 컴퓨터 등을 사용하여 관찰, 측정하고 분석하여 탐구하고 탐구결과를 정리한다.

다 역할을 분담하여 발표, 질문, 평론을 번갈아하며 그 동안 탐구한 내용에 대하여 발표와 토론을 한다. 각 팀는 자신의 주장을 옹호하고 상대편이 지적한 문제에 대하여 공개적으로 방어하는데, 상대방뿐만 아니라 대중에게도 효과적으로 납득시킬 수 있어야 한다.
이때 자신들의 주장의 정당성을 입증할 수 있게 제작된 모형이나 도구, 컴퓨터, 빔프로젝터, OHP 등의 활용, 시연 등도 가능하다.

라 대회 진행 방법

항목	제한시간
① 발표팀의 발표	15분
② 반론팀의 준비	3분
③ 반론팀 질의 및 반론(최대 5분), 발표팀의 답변, 두 팀간의 논쟁	15분
④ 평론팀의 준비	3분
⑤ 평론팀의 평론	5분
⑥ 발표팀의 마지막 논평 준비	3분
⑦ 발표팀의 마지막 논평	3분
총 시간	**47분**

* 규정제한시간을 지키는 것을 원칙으로 하며, 발표시간의 제한시간 초과 시 감점처리(5점)
/ 나머지의 경우 제한시간 초과 시 제재

심사규정

각 단계가 끝나면 심사위원은 팀의 발표, 문제해결, 토론 등을 종합하여 평가한다.

구분	항목	세부항목	점수
발표팀	과학적 탐구력	탐구과정 및 결과	30점
	발표점수	내용 / 발표 / 토론	30점
반론팀	반론점수	질문 · 평가 / 토론	20점
평론팀	평론점수	발표평론 / 반론평론	20점
총점			100점

<table>
<tr><th>심사항목</th><th>세부항목</th><th colspan="2">주안점</th></tr>
<tr><td rowspan="2">과학적 탐구력</td><td>탐구과정</td><td rowspan="2">논문 평가를 통해 결과평가</td><td rowspan="2">사전 심사위원 평가</td></tr>
<tr><td>탐구결과</td></tr>
<tr><td rowspan="3">발표</td><td>발표내용</td><td colspan="2">문제해결에 대한 창의성, 논리성, 실험과 이론의 일치, 결과에 대한 확신 등</td></tr>
<tr><td>발표</td><td colspan="2">설명, 수식, 구조 등의 명쾌함, 시각적 효과, 명확한 표현, 참고문헌 표기 등</td></tr>
<tr><td>토론</td><td colspan="2">의미 있는 · 적절한 · 관련성 있는 토론, 정확한 과학지식, 객관적 태도, 반박에 대한 논의, 좋은 매너 및 상대방에 대한 존중, 평론자 질문에 대한 답변, 발표자의 마지막 논평, 심사위원의 질문에 대한 답변 등</td></tr>
<tr><td rowspan="2">반론</td><td>질문 및 평가</td><td colspan="2">의미 있는 · 적절한 · 관련성 있는 질문, 정확한 과학지식, 명확하고 이해할 수 있는 질문과 평가, 발표자에 대한 장점과 단점 등</td></tr>
<tr><td>토론</td><td colspan="2">의미 있는 · 적절한 · 관련성 있는 토론, 정확한 과학지식, 발표내용에 근거한 토론, 좋은 매너 및 상대방에 대한 존중, 평론자 및 심사위원 질문에 대한 답변 등</td></tr>
<tr><td rowspan="3">평론</td><td>발표평론</td><td colspan="2">의미 있는 / 적절한 / 관련성 있는 질문, 토론과 발표내용의 장단점 지적</td></tr>
<tr><td>반론평론</td><td colspan="2">의미 있는 / 적절한 / 관련성 있는 질문, 토론과 발표내용의 장단점 지적</td></tr>
<tr><td>전체평론</td><td colspan="2">전체에 대한 개관</td></tr>
<tr><td rowspan="2">기타</td><td>추가점수</td><td colspan="2">심사 주안점에 따른 평가 이외에 심사위원은 팀의 능력과 역할에 대한 전반적인 인상에 따라 팀마다 +1점 추가점수 부여 가능</td></tr>
<tr><td>감점처리</td><td colspan="2">제한시간 초과</td></tr>
</table>

기출 탐구 주제

초등부(놀이기구의 과학)

탐구주제

놀이터에서 놀다보면 재미도 있고, 간혹 위험한 상황에 놓이기도 한다. 놀이터의 놀이기구에 숨어 있는 과학적 원리와 안전성을 조사하고, 학교놀이터에 설치할 수 있는 재미있고 안전한 놀이기구를 제안하시오.

중등부(장애인을 위한 과학)

탐구주제

우리생활 주변에는 장애인을 위한 공공편의시설이 있다. 장애인을 위한 공공편의시설에 숨어있는 과학적 원리를 조사하고, 이를 발전 개선시킬 수 있는 방안을 탐구하시오.

04 학생과학발명품경진대회

1 작품수합 : 3월 중순 ~ 4월 초

2 우수작품선정 : 4월 초 교내 과학교사에 의한 심사, 교내 시상이 확정된 학생은 작품요약서를 제출

3 출품 부문(5개 부문)

출품부문	설 명
생활과학 Ⅰ	일상 가정생활에 직접 활용이 가능한 생활용품으로서 널리 보급할 가치가 있는 과학 창작품(실내에서 활용 가능 작품)
생활과학 Ⅱ	주로 일상 가정생활 밖에서 직접 활용이 가능한 생활용품으로서 널리 보급할 가치가 있는 과학 창작품(실외에서 활용 가능 작품)
학습용품	학생들의 학습활동에 필요한 학용품으로서 널리 보급할 가치가 있는 과학 창작품
과학완구	어린이들의 정서순화, 지능계발 및 교육적 효과를 높일 수 있는 완구로서 널리 보급할 가치가 있는 과학 창작품
자원재활용	폐자원을 효과적으로 활용하여 자원절약, 에너지개발 및 환경보존사업에 기여하고 널리 보급할 가치가 있는 과학 창작품

4 출품 작품의 규격 : 가로 100cm, 세로 90cm, 높이 60cm 이내(완제품)

※ 상기 규격을 초과하거나 특수시설을 요하는 작품(단상 전압 220V 이상, 전력 1kW 이상, 3상 전력을 요하는작품 등)은 출품원서 제출 시 별도 승인을 받아야 하며, 승인 받지 않은 작품에 대해서는 전기사용 및 작품배치를 제한함.

5 출품할 수 없는 작품

가. 국내외에서 이미 공개되었거나 발표된 작품(타 대회 중복 출전 불가)

※ 지역교육청 및 과학전시관예선대회의 출품일 기준으로 공개된 작품

나. 출품자가 직접 창안하여 연구한 것이 아닌 작품

다. 과학적 원리로 설명할 수 없는 작품

라. 인체에 해로운 영향을 줄 수 있다고 인정되는 작품

※ 표절작품, 대리작품, 타 대회 중복제출 작품, 기 입상작품 등 기타 정당하지 못한 작품을 출품한 자는 향후 3년간 출품제한 및 입상취소

6 대회의 단계 이해(우수한 작품일 경우 작품으로 단계별 출전)

구분	1단계	2단계	3단계	4단계
대회명	학교대회	각 교육지원청 예선대회	시 · 도 본선대회	전국대회

05 전국 초등과학 창의사고력대회

목적

초등학생들의 과학적 흥미를 증진시키고, 과학적 사고력, 창의적 문제해결능력 등을 알아보며, 본 대회를 통하여 초등학교 과학관련 교육과정의 정상적 운영에 기여한다.

■ 주최 : 서울교육대학교 ■ 주관 : 기초과학연구원 ■ 후원 : 한택식물원, 뉴턴코리아

대상 및 참가인원

- 대상 : 전국 초등학교 3, 4, 5, 6학년 학생
- 참가인원 : 각 학년별 700명 내외
- 참가비 : 36,000원(접수비 6,000원 포함)

일시 및 장소

- 경시대회 일시 : 6월 둘째주 일요일 (4, 6학년 10:00～12:00 / 3, 5학년 14:30～16:30)
- 시험장소 : 서울교육대학교
- 시험방법 : 1, 2교시로 나누어 실시 (1교시 – 객관식, 2교시 – 주관식)

출제안내

- 출제범위 : 하위 학년 전(全) 과정부터 해당 학년 시험 당일 이전 단원(1학기 2단원)

구분	문항수	문제유형	시험시간	출제 경향
1교시 객관식	20문항	5지선다형	50분	교과과정을 충분히 이해하고 응용하여 풀 수 있는 창의사고력 문제
2교시 주관식	5문항	서술형	50분	교과과정 중 개념을 이해하고 종합적 사고력과 문제해결력을 평가할 수 있는 문제

- 출제위원 : 서울교대 과학교육과 교수진으로 구성
- 접수기간 : 5월초～6월초

06 한국과학창의력대회

목적

지식기반사회를 이끌어 갈 창의성과 리더십을 가진 융합인재의 육성을 위해 창의적인 과학 활동의 기회를 제공하고, 새로운 지식 창출을 가능하게 하는 과학 창의력 평가의 새로운 틀을 제공함으로써 창의성 신장 교육을 활성화시킨다.

개요

★ 2014년도는 새로운 과학 창의성 평가방법을 도입하여 운영한다.
★ 대회를 한국과교총이 직접 주관하여 운영하며 공정하고 투명한 대회로 발전시킨다.
★ 시 · 도 과교총의 적극적인 참여로 역할을 분담하여 운영한다.
★ 대회 참가자의 참가자격 기준은 학교장 추천을 받은 학생으로 하며 1차 예선대회를 거쳐 2차 전국대회를 실시한다.
★ 참가대상은 초등학교 4～6학년, 중 · 고등학교 1～3학년으로 한다.
★ 1차 대회에서는 창의적 과학 문제해결능력을 지필평가 하고, 2차 대회에서는 융합과학 창의적 산출물을 직접 제작하는 활동으로 수행 평가한다.
★ 평가 및 시상은 학교 급별 및 학년별로 구분하여 실시한다.
★ 최우수상을 수상한 학생은 학생과학해외탐방 참가 기회를 부여한다.
★ 한국과교총에서는 시 · 도 시험장 운영에 대한 행사경비를 지원한다.

참가 및 일정

1 참가대상

- 1차 시험 대상 : 초등학교 4～6(Ⅰ), 중학교 1～3(Ⅱ), 고등학교 1～3(Ⅲ), 과학고 · 과학영재고(Ⅳ)

2 참가 인원 및 자격

- 학년별 4명 이내 (단, 학년 당 학급 규모가 11 학급 이상의 경우 6명 이내)
- 과학성적 우수자, 과학대회 및 과학체험활동에서 우수한 역량을 발휘한 자

3 일시 : 7월 둘째주 토요일

2차 전국대회

★ 한국과학교육단체총연합회 주관으로 한다.
★ 참가 대상 및 인원 : 1차 예선에서 선발된 각 학년별 10명 내외의 학생
★ 일시 및 장소 : 2014년 8월 23일(토), 서울특별시과학전시관
★ 진행 및 방법 : 제시된 문제와 관련된 창의적 산출물을 제작하고 평가한다.

예시문제

초등학교 1차 창의력대회 1번 문항 예시

1 다음은 양초가 타고 있는 모습을 찍은 사진이다.

(1) 위의 사진을 자세히 관찰하여 관찰한 현상 다섯 가지와 그러한 현상이 일어나는 까닭을 쓰시오.

(2) 다음 사진과 같이 양초의 불꽃을 둥그런 종 모양으로 만들 수 있는 과학적인 방법 두 가지와 그것이 가능한 이유를 쓰시오.

07 한국영재올림피아드

목적

기초 과학 분야의 영재를 조기에 발굴하여 국가 차원에서 필요로 하는 인재로 양성하기 위하여 개최되는 대회이다. 이 대회는 기업의 이윤을 사회에 환원하는 장학사업의 일환으로, 창의적인 평가 문항 개발 및 체계적인 결과 분석을 통하여 우리나라 교육 평가의 수준을 한 차원 높이고, 우리나라 영재교육 발전을 도모하는 데 그 목적이 있다.

- **대회 일시** : 10월 둘째주 토요일 (수학 90분 / 과학 70분)
- **실시 과목** : 수학, 과학 (1인 2과목 응시 가능)
- **대상 학년** : 초등 3학년~중학 2학년
- **시험장소** : 전국 지정 고사장 동시 시행
- **문항 출제 및 채점** : 수학 – 한국수학교육학회, 과학 – 한국과학교육학회
- **참가자격**
  - ★ 학교추천(교사추천)을 받은 학생 (각 학교 학급 수에 따라 학년별, 과목별 10명 이내)
  - ★ 대학교 또는 교육청이 운영하는 영재교육원 · 영재학급 재학생 및 수료생
  - ★ 최근 2년간 전국 규모의 수학 · 과학 부문 경시대회에서 개인자격으로 응시하여 입상한 학생 (단, 수상과목에 한하여 지원가능)
  - ★ 작년 한국영재올림피아드 수상자

출제안내

구분	수학	과학
평가 목적	학업성취능력이 우수한 수학 영재 판별 • 고도의 수학적 사고 능력 파악 • 다양한 수학적 지식을 바탕으로 한 문제 해결 능력 파악	학업성취능력이 우수한 과학 영재 판별 • 고도의 과학적 사고 능력 파악 • 과학적 사고력을 바탕으로 한 창의적인 문제 해결 능력 파악
평가 영역	• 정보 조직력 • 직관적 통찰력 • 논리적 추론력 • 공간 지각력 • 문제 해결력	• 물질 영역 • 생명 영역 • 지구 영역 • 에너지 영역 • 통합교과 영역
문항 구성 유형 및 시간	• 주관식 : 단답형 17문항, 서술형 3문항 • 답지형식 : OMR 답안지 사용 • 시험시간 : 90분	• 주관식 : 5지선다형 16문항, 복수정답형 12문항 • 답지형식 : OMR 답안지 사용 • 시험시간 : 70분
출제 범위	• 학교 교육과정의 범위와 진도를 참조하여 출제함 • 과학의 경우 생활 과학 포함	

초등 3학년

1 다음은 온도에 따른 초파리의 활동성을 알아보는 실험 과정이다.

[실험 준비물]
암컷과 수컷의 초파리가 고르게 각각 15마리씩 들어 있는 투명 유리병 3개, 온도계, 비커, 얼음물, 따뜻한 물

[실험 과정]
(가) 암컷과 수컷의 초파리가 각각 15마리씩 들어 있는 투명 유리병 3개를 준비한다.
(나) 유리병을 각각 얼음물, 실내 온도의 물, 따뜻한 물이 든 비커에 넣는다.
(다) 유리병이 들어 있는 각각의 비커 중, 실온의 물이 든 비커는 음지에, 얼음물과 따뜻한 물이 든 비커는 햇빛이 드는 양지에 놓아둔다.
(라) 초파리의 움직임을 관찰한다.

다음 내용 중 잘못된 과정을 바르게 고친 것은? (정답 한 개 : 2.7점)

① 초파리를 모두 수컷만 가지고 실험해야 한다.

② 햇빛의 영향을 받지 않도록 초파리를 모두 갈색 병에 넣어야 한다.

③ (나)에서 얼음물이 든 비커는 초파리가 죽으므로 이 조건은 실험에서 빼야 한다.

④ 각각의 유리병에 초파리를 한 마리씩만 넣어야 한다.

⑤ (다)에서 세 가지 비커를 모두 음지에 두어야 한다.

출제문항 유형

초등 4학년

1 다음은 주열이가 학교에서 '동물의 암수' 단원을 공부한 후 나방과 매미의 구애 행동에 관해 추가로 조사한 자료이다.

[나방의 구애 행동]
암컷 나방이 수컷을 유혹하기 위해 자기들끼리만 맡을 수 있는 멀리까지 퍼지는 특별한 냄새물질인 페로몬을 뿜기 시작하면 이에 질세라 다른 암컷들도 페로몬을 뿜어낸다. 이렇게 수컷이 모여들면 수컷들 역시 페로몬을 풍겨 암컷을 유혹한다. 수컷은 짝짓기를 할 때 암컷에게 영양물질을 선물로 준다. 선물의 양은 수컷의 페로몬 농도와 관련이 있다.

[매미의 구애 행동]
여름에 수컷 매미는 특징적인 울음소리를 내어 같은 종류의 암컷 매미를 유인한다. 그러므로 수컷 매미만이 울음소리를 낸다. 암컷 매미는 울지않기 때문에 벙어리매미라고도 한다. 수컷 매미는 배 안쪽에 V자 모양의 굵은 근육이 있는데, 이를 발음기라고 하며 수축에 의하여 오므라들면서 소리를 낸다.

주열이는 이들의 구애 방식이 갖는 장단점들에 관해 다음과 같은 결론을 내렸다. 다음의 결론 중 옳은 내용을 있는 대로 모두 고르시오. (정답 여러 개 : 4.5점)

① 수컷 매미는 멀리서도 위치를 알릴 수 있는 장점이 있다.

② 수컷 매미는 큰 소리로 천적을 물리칠 수 있는 장점이 있다.

③ 수컷 매미는 다른 종류의 매미 소리와 구별이 쉽지 않다는 단점이 있다.

④ 나방의 페로몬은 거리가 멀어지면 약해지므로 가까운 거리에서만 위치를 알 수 있는 단점이 있다.

⑤ 나방의 페르몬은 자기들끼리만 맡을 수 있기 때문에 천적에게 노출될 위험을 줄일 수 있는 장점이 있다.

안쌤이 추천하는

영재교육원 대비 3,4학년 로드맵

안쌤의 최상위 초등 줄기과학 시리즈 학기별 8강, 총 32강

안쌤의 창의적 문제해결력 시리즈 수학 8강, 과학 8강

안쌤의 창의적 문제해결력 시리즈 과학 50제, 수학 50제, 모의고사 4회

안쌤의
줄기과학 시리즈

새 교육과정
3~4학년 영역별
STEAM 과학

새 교육과정
5~6학년 영역별
STEAM 과학

에너지와 지구 Ⅰ, 물질과 생명 Ⅰ 16강

에너지와 지구 Ⅱ, 물질과 생명 Ⅱ 16강

새 교육과정
중등 영역별
STEAM 과학

물리 24강 화학 16강 생명과학 16강 지구과학 16강

워크북 물리 워크북 화학

과학 탐구 대회
특강 시리즈

A(4~6학년) 8강

B(초6~중등) 8강

안쌤의 영재교육원 영재학급 관찰추천제 대비

창의적 문제해결력 과학

정답 및 해설

1·2 학년

매스티안

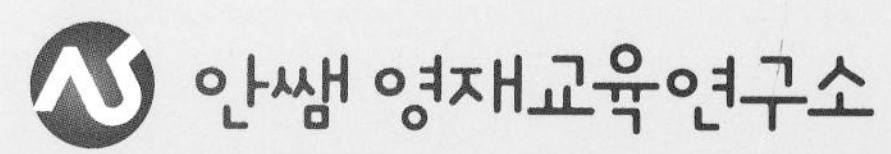

상위 1%가 되는 길로 안내하는 이정표로,
학생들이 꿈을 이루어갈 수 있도록 콘텐츠 개발과 강의 연구를 하고 있다.

저자 **안쌤 영재교육연구소**
안재범, 최은화, 이상호, 강미선, 조영부, 전희원, 김형진, 이윤정, 신혜진, 변희원, 유나영

검수
강동규, 김은수, 박재현, 배정인, 안혜정, 우마리아, 유승희, 윤이현, 전익찬, 전진홍, 정대현, 정영숙, 정지윤, 정회은, 채윤정, 최현규, 추지훈

이 교재에 도움을 주신 선생님
고려욱, 김민정, 김성희, 김정숙, 김정아, 김진남, 김종욱, 김현민, 김희진, 마성재, 박선재, 박진국, 백광열, 서윤정, 신석화, 신한규, 어유선, 유경아, 유영란, 유지유, 윤선애, 이석영, 이은덕, 임선화, 임성은, 임은란, 장수진, 채중석, 최용덕, 하정용

영재교육원 대비

안쌤의 창의적 문제해결력 과학

정답 및 해설

1·2 학년

과학1 자석의 힘으로 가는 자동차

STEP 1 문제 인식

모범답안

1

해설 금속 중 철, 니켈, 코발트로 만든 것만 자석에 붙는다. 금, 은, 알루미늄 등의 금속, 유리, 나무, 플라스틱, 종이는 자석에 붙지 않는다.

모범답안

2 ① 서로 밀어낸다.

② 서로 끌어당긴다.

해설 ① 자석의 같은 극 사이에서는 서로 밀어내는 힘이 작용한다.

② 자석 사이에 힘이 작용하는데 이 힘을 자기력이라 한다. 같은 극끼리는 서로 미는 힘(척력)이 작용하고 다른 극끼리는 서로 끌어당기는 힘(인력)이 작용한다. 자석은 아무리 잘게 쪼개더라도 N극과 S극이 분리되지 않으며 각각의 조각은 다시 N극과 S극을 갖는 작은 자석이 된다.

STEP 2 문제 해결

모범답안

1 스테이플러 심이 가장 많이 달라붙는 윗면과 아랫면이 자석의 극이다.

해설 스테이플러 심을 동전 자석에 붙여 보면 앞면과 뒷면에는 많이 붙지만 테두리에는 잘 붙지 않는다. 동전 자석은 위 아래의 동그란 면이 각각 N과 S극이다. 면끼리 붙여봤을 때 밀어내면 같은 극이고 서로 붙으면 서로 다른 극이다. 생활 속에서 사용하고 있는 자석들 중 극 표시가 되어 있지 않는 경우 확실한 극을 찾고 싶다면 극을 알고 있는 자석이나 나침반을 활용한다. 동전 자석은 냉장고에 붙이는 자석으로 많이 활용된다.

모범답안

2 동전 자석의 같은 두 극이 미는 힘에 의해 자동차가 움직인다.

해설 막대와 자석 자동차의 자석이 가까울수록 자석의 힘이 강해지므로 잘 움직인다.

예시답안

3 ❶
- 강한 자석을 사용한다.
- 자석의 개수를 늘린다.
- 자석과 자석 사이의 거리를 가깝게 한다.
- 자동차의 무게를 가볍게 한다.

❷
- 가설 1 : 자석의 개수를 많이 하면 자석 자동차가 빠르게 나아갈 것이다.
- 실험방법
  - 같게 해야 할 것 : 자석의 종류, 자석 사이의 거리, 자석 자동차의 무게
  - 다르게 해야 할 것 : 자석의 개수

① 막대와 자석 자동차에 자석을 한 개씩 붙인다.
② 자석과 자석 자동차의 거리를 5 cm정도 떨어지게 하여 자석 자동차를 움직인다.
③ 막대에 자석을 두 개 붙인다.
④ 자석과 자석 자동차의 거리를 5 cm정도 떨어지게 하여 자석 자동차를 움직인다.

• 예상되는 결과
막대에 자석을 두 개 붙이면 자석의 힘이 강해지므로 자석 자동차가 빠르게 움직일 것이다.

• 가설 2 : 자석과 자석 사이의 거리를 가깝게 하면 자석 자동차가 빠르게 나아갈 것이다.

• 실험방법
–같게 해야 할 것 : 자석의 종류, 자석의 개수, 자석 자동차의 무게
–다르게 해야 할 것 : 자석 사이의 거리
① 막대와 자석 자동차에 자석을 한 개씩 붙인다.
② 자석과 자석 자동차의 거리를 5 cm 정도 떨어지게 하여 자석 자동차를 움직인다.
③ 자석과 자석 자동차의 거리를 3 cm, 10 cm 정도 떨어지게 하여 자석 자동차를 움직인다.

• 예상되는 결과
자석과 자석 자동차의 거리가 가까울수록 자석의 힘이 강해지므로 자석 자동차가 빠르게 움직일 것이다.

• 가설 3 : 자동차의 무게를 가볍게 하면 자석 자동차가 빠르게 나아갈 것이다.

• 실험방법
–같게 해야 할 것 : 자석의 종류, 자석 사이의 거리, 자석의 개수
–다르게 해야 할 것 : 자석 자동차의 무게
① 막대와 자석 자동차에 자석을 한 개씩 붙인다.
② 자석과 자석 자동차의 거리를 5 cm 정도 떨어지게 하여 자석 자동차를 움직인다.
③ 자석 자동차에 무거운 추를 붙이고, 자석과 자석 자동차의 거리를 5 cm 정도 떨어지게 하여 자석 자동차를 움직인다.

• 예상되는 결과
자석 자동차가 가벼울수록 움직이는데 힘이 덜 드므로 빠르게 움직일 것이다.

• 가설 4 : 강한 자석을 사용하면 자석 자동차가 빠르게 나아갈 것이다.
• 실험방법
–같게 해야 할 것 : 자석 사이의 거리, 자석의 개수, 자석 자동차의 무게
–다르게 해야 할 것 : 자석의 종류
① 막대와 자석 자동차에 자석을 한 개씩 붙인다.
② 자석과 자석 자동차의 거리를 5 cm 정도 떨어지게 하여 자석 자동차를 움직인다.
③ 막대 자석에 각각 더 강한 자석과 약한 자석을 붙인 후, 자석과 자석 자동차의 거리를 5 cm 정도 떨어지게 하여 자석 자동차를 움직인다.
• 예상되는 결과
자석의 힘이 강할수록 자석 자동차가 빠르게 움직일 것이다.

해설 ❶ 강한 자석을 사용하고 자석 수를 늘이고 자석 사이의 거리를 가까이 하면 자석의 힘이 강해지므로 자석 자동차가 더 빠르게 나아간다. 자석 자동차의 무게는 가벼울수록 속도 변화가 커지므로 빠르게 움직인다. '크기가 큰 자석을 사용한다'고 답안을 쓰는 것보다 '강한 자석을 사용한다'고 표현하는 것이 좋다. 자석의 크기가 클수록 자석의 세기가 커지기도 하지만 크기가 작아도 강한 자석이 있기 때문이다.

STEP 3 융합 사고

모범답안

1 • (가) : S극
• (나) : N극

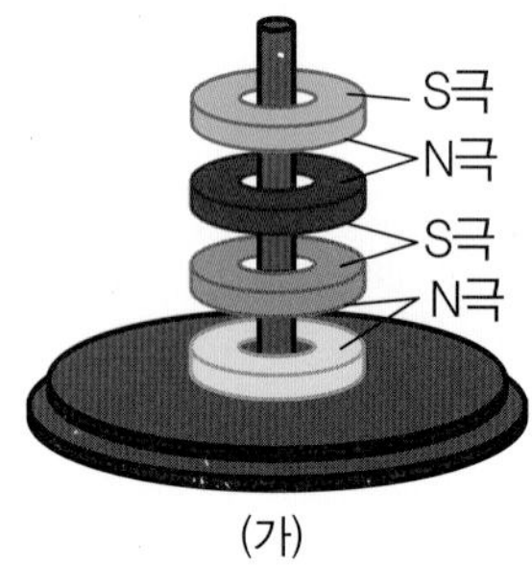

(가)

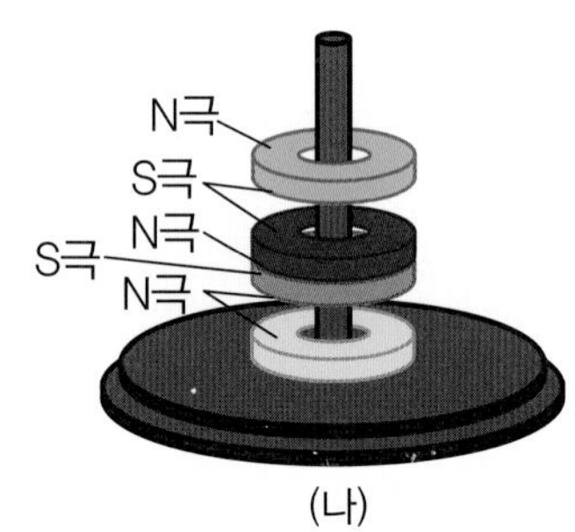

(나)

해설 자석은 같은 극 사이에서는 서로 밀어내고 다른 극 사이에서는 서로 끌어당긴다.

모범답안

2 지구의 북쪽이 S극이고 남쪽은 N극이므로 나침반의 N극이 항상 북쪽을 가리킨다.

해설 우리는 거대한 자석 위에 살고 있다. 뜨거운 지구 내부에 녹아 있는 외핵의 성분인 철이 자전에 의해 움직이면서 전류가 생기고, 이 전류에 의해 자기장이 생겨 지구가 N극과 S극을 가진다.

예시답안

3 ❶ 핸드백 단추, 냉장고 자석, 병따개, 필통 뚜껑, 자석 칠판, 자석 드라이버, 자석 바둑판 등

❷

- 잃어버림 방지용 사인펜 : 사인펜 바닥과 케이스에 서로 다른 극의 자석을 붙여 항상 붙어 있도록 한다.
- 잃어버림 방지용 젓가락 : 젓가락 양쪽에 서로 다른 극의 자석을 붙여 항상 붙어 있도록 한다.
- 못과 함께하는 망치 : 망치 바닥에 자석을 붙여 작은 못을 붙일 수 있도록 한다.

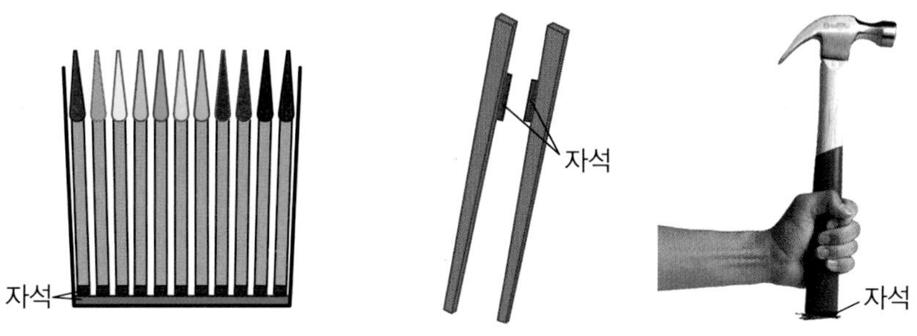

▲ 잃어버림 방지용 사인펜 ▲ 잃어버림 방지용 젓가락 ▲ 못과 함께 하는 망치

바람의 힘으로 가는 자동차

STEP 1 문제 인식

모범답안

1
- 나뭇가지가 흔들릴 때
- 깃발이 펄럭일 때
- 머리카락이 날릴 때
- 먼지나 풍선 등이 날릴 때
- 돛단배나 요트가 움직일 때
- 구름이 움직일 때

해설 두 곳의 온도 차이가 있을 때 찬 곳에서 따뜻한 곳으로 수평으로 이동하는 공기의 움직임을 바람이라고 한다. 공기는 눈에 보이지 않기 때문에 주변 물체의 움직임으로 바람이 불고 있음을 알 수 있다.

모범답안

2 프로펠러가 돌면서 공기를 아래로 밀어내면 드론이 위로 떠오른다.

해설 드론(Drone)은 사람이 타지 않고 무선 전파의 유도에 의해서 비행하는 비행기나 헬리콥터 모양의 무인 비행체이다. 드론은 본래 사람이 접근할 수 없는 지역을 정찰하기 위한 군사 목적으로 제작되었으며 90 % 이상이 군용이다. 최근의 상용화 예로 드론을 통한 배달 서비스가 미국에서 시행되었다. 드론은 간단하게 보면 헬리콥터와 같다. 4개의 날개가 지면을 향해 바람을 불어서 뜨며, 각각의 날개와 대칭되는 부분은 반대로 회전하여 공중에서 뱅글뱅글 도는 것을 막는다. 대각선으로 마주보고 있는 프로펠러끼리 같은 방향으로 회전을 하고 바로 옆의 프로펠러와는 다른 방향으로 회전을 하는 것이 드론의 기본 원리다. 드론은 헬기와 비슷하지만 훨씬 안정적이다. 쉬운 작동이 가능한 드론은 정찰, 감시, 공격 등 군사용 뿐만 아니라 항공 촬영, 교통 위반 차량 단속, 환경 조사 실태 파악까지 다양한 영역에서 이용되고 있다. 최근에는 방송용으로도 자주 이용된다. 헬기를 띄어 촬영했던 장면들을 드론을 이용해 쉽고 간편하게 제작할 수 있어 주목받고 있다.

STEP 2 문제 해결

모범답안

1 프로펠러가 돌아가면서 자동차가 앞으로 움직인다.

해설 고무줄이 풀리면서 프로펠러가 돌아가며 바람을 일으킨다. 이때 바람이 뒤로 불어나오므로 반작용으로 자동차가 앞으로 나아간다. 고무줄을 많이 감을수록 프로펠러가 빨리 돌아 바람을 강하게 일으키고 이로 인한 반작용도 강해지므로 자동차가 앞으로 빠르게 나아간다.

모범답안

2 바람이 앞으로 나오면서 풍력 자동차가 뒤로 간다.

해설 프로펠러를 반대로 감으면 바람이 앞으로 나오고 그 반작용으로 자동차는 뒤로 간다.

예시답안

3 ❶

- 고무줄을 더 많이 감는다.
- 고무줄을 여러 개 사용한다.
- 두껍고 강한 고무줄을 사용한다.
- 자동차의 무게를 가볍게 한다.

❷

- 가설 1 : 고무줄을 많이 감으면 풍력 자동차가 더 멀리 더 빠르게 나아갈 것이다.
  - 같게 해야 할 것 : 고무줄 개수, 고무줄 종류, 풍력 자동차의 무게
  - 다르게 해야 할 것 : 고무줄 감는 수
- 실험방법
  ① 프로펠러를 50번 감고 자동차가 움직인 거리를 측정한다.
  ② 프로펠러를 60, 70, 80번 감고 자동차가 움직인 거리를 측정한다.

• 예상되는 결과
고무줄을 많이 감을수록 고무줄이 빠르게 풀리면서 프로펠러가 빨리 돌아가므로 풍력 자동차가 더 멀리 더 빠르게 나아갈 것이다.

• 가설 2 : 고무줄을 여러 개 사용하면 풍력 자동차가 더 멀리 더 빠르게 나아갈 것이다.
• 실험방법
 – 같게 해야 할 것 : 고무줄 종류, 고무줄 감는 수, 풍력 자동차의 무게
 – 다르게 해야 할 것 : 고무줄 개수
 ① 고무줄 1개를 끼우고 프로펠러를 50번 감은 후 자동차가 움직인 거리를 측정한다.
 ② 고무줄 2개, 3개를 끼우고 프로펠러를 50번 감은 후 자동차가 움직인 거리를 측정한다.
• 예상되는 결과
고무줄을 여러 개 사용할수록 고무줄이 풀리는 힘이 강해져 프로펠러가 빨리 돌아가므로 풍력 자동차가 더 멀리 더 빠르게 나아갈 것이다.

• 가설 3 : 자동차의 무게가 가벼우면 자동차가 더 멀리 더 빠르게 나아갈 것이다.
• 실험방법
 – 같게 해야 할 것 : 고무줄 개수, 고무줄 종류, 고무줄 감는 수
 – 다르게 해야 할 것 : 풍력 자동차의 무게
 ① 고무줄 1개를 끼우고 고무줄을 70번 감은 후 자동차가 움직인 거리를 측정한다.
 ② 자동차에 무거운 물체를 매달고 고무줄 1개를 끼우고 프로펠러를 70번 감은 후 자동차가 움직인 거리를 측정한다.
• 예상되는 결과
자동차가 무거울수록 움직이는데 더 많은 힘이 들기 때문에 자동차가 멀리 나아가지 못할 것이다.

해설 ❶ 프로펠러가 빨리 돌아갈수록 자동차가 가벼울수록 자동차가 더 멀리 더 빠르게 나아간다.

STEP 3 융합 사고

예시답안

1

- 풍력 발전소 : 바람의 힘으로 전기를 만든다.
- 범선, 요트, 돛단배 : 바람의 힘으로 배를 움직인다.
- 풍차 : 바람의 힘으로 풍차를 돌려 곡식을 빻는다.
- 글라이더, 비행기 : 날개에서 바람으로 양력을 만들어 하늘을 날아간다.
- 헬리콥터 : 프로펠러를 회전시켜 아래쪽으로 바람을 내뿜고 그 반작용으로 위로 올라간다.
- 호버크래프트 : 프로펠러를 회전시켜 아래쪽으로 바람을 내뿜고 그 반작용으로 물 또는 땅 위에 살짝 떠서 앞으로 나아간다.
- 연 : 바람의 힘으로 공기 중에 떠서 이동한다.
- 선풍기 : 전기로 모터를 회전시켜서 바람을 만들어 시원하게 한다.
- 환풍기 : 전기로 프로펠러를 회전시켜서 공기를 빼내어 순환시킨다.
- 청소기 : 전기로 바람을 일으켜 먼지와 함께 빨아들인다.

모범답안

2

- 바람이 계속 강하게 불지 않기 때문에 전기를 계속 많이 만들기 힘들다.
- 풍력발전소기 소음이 심하므로 지역 주민들의 반대가 심하다.
- 풍력발전기의 날개가 서로 부딪치지 않으려면 100 m 이상씩 떨어지도록 설치되어야 하는데 우리나라는 국토가 좁아 많은 풍력발전기를 설치하기 힘들다.
- 우리나라는 산지가 많아 풍력발전기를 건설하기 힘들다.
- 산이 많아 바람의 방향이 자주 바뀌므로 풍력발전에 불리하다.

해설 풍력발전은 바람을 이용하므로 공해를 일으키지 않아 환경에 미치는 영향이 적다. 그러나 연평균 풍속이 최소 5 m/s 이상, 주로 6~7 m/s 이상의 바람이 부는 지역 중에서 풍력발전기 설치로 인해 다른 자연환경 피해(산의 정상부를 파헤쳐야함, 나무를 베어내야 함 등)가 없는 지역에 풍력발전기를 설치한다. 풍력발전소에서 300 m 떨어진 곳의 소음은 45 dB로 일반사무실의 주변 소음과 비슷한 수준이므로 풍력발전기를 설치할 때 지역주민들의 반발이 심하다. 요즘은 자연환경 파괴를 막기 위해 바다에 설치하는 해상풍력발전소도 연구 계획 중이다. 우리나라는 미래 대체에너지로 수력발전과 조력발전에 집중하고 있다. 특히 서해안의 경우 밀물과 썰물의 차이가 크므로 이를 이용한 세계 최대 규모의 조력발전소 개발이 진행중이다.

예시답안

3
- 현수막 가장자리에 바람이 통할 수 있는 구멍을 뚫는다.
- 건물 윗부분에 구멍을 뚫어 바람이 통하도록 한다.
- 건물 꼭대기 층에 거대한 추를 달아 건물의 흔들림을 줄인다.
- 건물 꼭대기 부분을 스프링으로 고정해 건물의 흔들림을 줄인다.
- 건물 윗부분에 물탱크를 만들고 물을 채워 건물의 흔들림을 줄인다.
- 위로 올라갈수록 좁게 만들어 바람의 영향을 적게 받도록 한다.

▲ 현수막 바람 구멍

▲ 중국 상하이 금융센터

▲ 대만 타이페이 101

해설
- 중국에서 가장 높은 중국 상하이 금융센터는 윗부분에 바람에 의한 건물의 흔들림을 방지하기 위해 네모난 구멍을 뚫어 놓았다.
- 현존하는 세계 최고 건물(508 m, 101층)인 대만 '타이페이101' 건물은 흔들림을 막기 위해 92층에 지름 6 m, 무게 660 톤짜리 강철공을 4개의 로프로 매달아 놓았다. 이 장치는 건물의 진동을 30 % 정도 줄여주는 효과가 있으며, 그 자체로서 하나의 관광 상품이 되어 일반인들에게 전시되고 있다.
- 일반적인 경우 초고층 건물은 건물 높이의 $\frac{1}{400}$ ~ $\frac{1}{450}$ 정도 내에서 흔들리도록 설계한다. 이 흔들림의 폭은 이론상으로 거주자나 사용자가 사용하는데 큰 불편이 없고 흔들림을 거의 느끼지 않을 정도의 수치이다.

공기로 연주하는 팬플룻

STEP 1 문제 인식

모범답안

1 물체가 떨린다. 진동한다.

해설 북을 치면 북의 가죽이 진동하고 가죽의 진동이 주변의 공기를 진동시킨다. 즉, 북을 치면 가죽이 안으로 들어가므로 주변의 공기가 팽창하고, 가죽이 다시 밖으로 밀려나면 주변의 공기가 압축된다. 이렇게 생긴 공기의 진동이 옆으로 전달되어 사방으로 퍼지고, 이 진동이 귀의 고막에 닿으면 고막을 진동시켜 사람이 소리를 듣는다.

모범답안

2
- 자의 길이를 길게 했을 때 : 적게 진동하고 낮은 음이 난다.
- 자의 길이를 짧게 했을 때 : 많이 진동하고 높은 음이 난다.

해설 자를 길게 빼서 튕기면 떨리는 횟수가 적어 낮은 소리가 생기고, 자를 짧게 빼서 튕기면 떨리는 횟수가 많아 높은 소리가 생긴다. 떨리는 횟수(진동수)가 많을수록 높은 소리가 난다.

STEP 2 문제 해결

모범답안

1 물이 많이 든 (다) 유리병

해설 입으로 불면 유리병 속의 공기가 진동을 한다. 공기 기둥의 길이가 긴 유리병 보다 짧은 유리병에서 공기가 더 많이 진동한다. 따라서 유리병 속 공기의 양이 많을수록 진동수가 적어 낮은 소리를 내고, 공기의 양이 적을수록 진동수가 많아 높은 소리를 낸다.

공기로 연주하는 팬플룻

모범답안

2 20 cm 플라스틱 관에서 낮은 음이 나고 10 cm 플라스틱 관에서 높은 음이 난다.

해설 팬플룻은 입으로 불어서 소리를 내므로 플라스틱 관의 공기가 진동한다. 플라스틱 관의 길이가 짧을수록 공기의 양이 적어 진동을 많이 하므로 높은 음이 난다.

예시답안

3 • 가설 : 플라스틱 관의 길이를 다르게 하면 소리의 높낮이가 달라질 것이다.

• 실험방법

① 플라스틱 관의 길이를 20 cm, 17.5 cm, 15.5 cm, 14.5 cm, 13.2 cm, 12 cm, 10.5 cm, 10 cm로 자른다.

② 플라스틱 관 한쪽을 고무 마개로 막는다.

③ 폼보드에 양면 테이프를 붙이고, 플라스틱 관 8개를 길이 순서대로 일자로 맞춘다.

④ 남은 폼보드를 반대편에 붙여서 플라스틱 관을 고정한다.

⑤ 클레이를 이용하여 폼보드를 꾸민다.

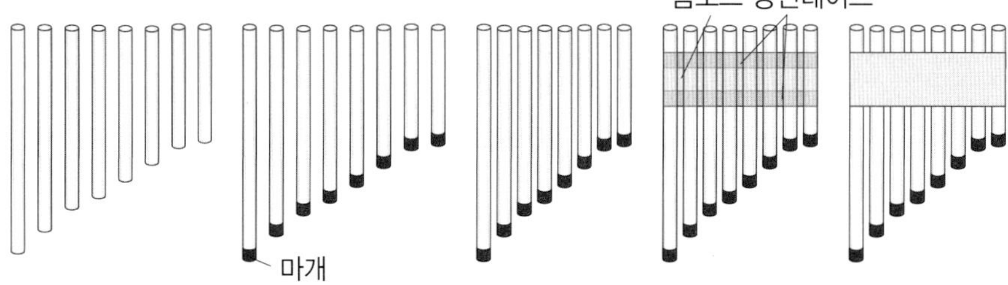

• 예상되는 결과

길이가 제일 긴 플라스틱 관에서 낮은 도 음이, 제일 짧은 관에서 높은 도 음이 날 것이다.

플라스틱 관의 길이가 짧으면 높은 음이 나고 빨대의 길이가 길면 낮은 음이 날 것이다.

해설

음계	도	레	미	파	솔	라	시	도
관의 길이(cm)	20	17.5	15.5	14.5	13.2	12	10.5	10

STEP 3 융합 사고

모범답안

1 땅이 공기보다 소리가 더 빨리 전달되기 때문이다.

해설 소리의 속력은 물질의 상태와 온도에 따라 달라진다. 일반적으로 고체, 액체, 기체 중 알갱이 사이의 간격이 좁은 고체에서 소리가 가장 빠르게 전달되고 알갱이 사이의 간격이 가장 넓은 기체에서 소리의 속력이 가장 느리다. 소리는 15 ℃ 공기 중에서 1초에 340 m를 이동한다. 온도가 높아질수록 알갱이의 움직임이 빨라지기 때문에 소리의 전달 속도가 빨라진다. 액체에서 소리가 전달되는 예로는 돌고래가 물속에서 서로 의사를 전달하는 것과 수중발레 하는 사람들이 물속에서도 음악을 듣고 춤을 출 수 있는 것 등이다.

모범답안

2 공기를 빼면 소리를 전달해주는 공기의 양이 적어지므로 소리가 작게 들리거나 거의 들리지 않는다.

해설 공기가 있는 상태에서 진공펌프 속에 알람시계가 울리면 소리가 잘 들린다. 그러나 공기를 조금씩 빼면 소리가 점점 작아지다가 나중에는 잘 들리지 않는다. 다시 공기를 넣으면 소리가 점점 커진다. 알람시계에서 생기는 진동이 진공펌프 속의 공기에 전해지고 공기의 진동이 진공펌프에 전해지며, 다시 진공펌프의 진동이 밖의 공기로 전해져서 사람의 귀에까지 들린다.

예시답안

3
- 실을 팽팽히 한다.
- 실을 길이를 짧게 한다.
- 굵기가 가는 실을 사용한다.
- 실에 물을 바른다.
- 실 대신 구리선이나 낚싯줄을 사용한다.

• 종이컵 밑바닥을 더 얇고 질긴 종이로 바꾼다.
• 크기가 큰 컵을 사용한다.

해설 • 소리 에너지가 알갱이 하나를 떨리게 하면 이어진 다음 알갱이들을 통해 떨림이 전달된다. 실이 팽팽할수록 떨림이 잘 전달되므로 실전화기 소리가 잘 들린다.

• 실이 길면 소리가 전달되는 시간이 오래 걸리고 전달되는 동안 에너지가 줄어든다. 따라서 실이 짧을수록 실전화기 소리가 잘 들린다.
• 실이 가늘수록 가벼워서 떨림이 잘 전달된다. 따라서 실이 가늘수록 실전화기 소리가 잘 들린다.
• 실은 여러 겹의 가는 실이 나선형으로 꼬인 것이므로 가는 실 사이에 공기가 채워져 있다. 실에 물을 묻히면 실 사이에 공기 대신 물이 채워지므로 소리가 잘 전달되어 실전화기 소리가 잘 들린다.
• 금속은 알갱이 간격이 촘촘해서 소리를 잘 전달한다.
• 컵 바닥이 두꺼우면 진동이 잘 전달되지 않으므로 바닥이 얇을수록 실전화기 소리가 잘 들린다.
• 컵이 크면 컵 안에 많은 양의 공기가 있고 많은 양의 공기가 크게 떨린다. 실을 타고 큰 떨림이 전달되므로 소리가 더 잘 들린다.
• 실의 중간을 손으로 잡거나 실의 중간 부분이 다른 물체에 닿지 않아야 실전화기 소리가 잘 전달된다.

과학4 속력을 줄여주는 낙하산

STEP 1 문제 인식

모범답안

1 지구가 물체를 끌어당기는 힘인 중력이 작용하기 때문이다.

해설 지구 상의 모든 물체는 지구 중심으로부터 끌어당기는 힘이 작용하며, 이 힘을 중력이라고 한다. 우리가 지구 표면에서 걸어 다닐 수 있는 것도 지구가 둥글게 생긴 것도 중력이 작용하기 때문이다. 중력은 평소에 잘 느껴지지 않지만 항상 우리를 지구 중심으로 끌어당기고 있다. 만약 중력이 없다면 마치 우주인들이 무중력 상태를 체험하는 것처럼 모든 물체가 둥둥 떠다니게 될 것이다. 사람이 서 있을 수 없고 빗방울도 아래로 떨어지지 않으며, 공을 멀리 던지면 지구 밖으로 튀어나가 버린다. 하지만 그 전에 지구 위의 모든 물체는 지구 자전에 따른 원심력으로 매우 빠른 속력으로 지구 밖으로 던져질 것이다. 실제 무중력 상태란 중력이 존재하지만 물체의 무게를 거의 느끼지 못하는 상태이다.

모범답안

2 펼친 종이는 좌우로 움직이며 천천히 떨어지고 동그랗게 뭉친 종이는 빨리 떨어진다. 펼친 종이가 동그랗게 뭉친 종이보다 공기와 닿는 면적이 커서, 종이가 떨어지는 것을 방해하는 공기 저항을 많이 받기 때문에 천천히 떨어진다.

해설 물체의 부피가 클수록 공기와 닿는 면적이 많아져 공기 저항을 크게 받는다. 시간차를 두고 떨어진 스카이다이버들은 공기 저항을 조절하여 같은 높이에서 모인다. 먼저 떨어진 사람은 팔다리를 펴서 공기 저항을 크게 하여 천천히 떨어지고 늦게 떨어진 사람은 팔다리를 모아서 공기 저항을 작게 하여 빨리 떨어지면 먼저 떨어진 사람과 만날 수 있다. 제기도 날개가 많으면 제기가 떨어지는 것을 방해하는 공기 저항을 많이 받게 되므로 천천히 떨어지고, 제기 날개가 적으면 공기 저항을 적게 받으므로 빨리 떨어진다.

속력을 줄여주는 낙하산

STEP 2 문제 해결

모범답안

1
- 공기 저항 때문에 빗방울의 속력이 계속 빨라지지 않기 때문이다.
- 빗방울이 공기와 부딪히면서 속력이 계속 빨라지지 않기 때문이다.

해설 빗방울이 1200 m 이상의 높은 곳에서 떨어질 때 공기 저항이 없으면 지면에서 시속 약 550 km 정도의 속력을 내게 된다. 빗방울의 질량이 아무리 작더라도 하늘에서 시속 약 550 km의 속력으로 수많은 빗방울이 떨어지고 있다면 지상은 아수라장이 될 것이다. 그러나 공기는 저항이 있기 때문에 모든 물체가 떨어질 때 속력이 점점 증가하다가 어느 정도 속력에 이르면 더 이상 증가하지 못하고 일정한 속력를 유지한다. 빗방울의 경우 지면의 도달했을 때 약 초속 9 m(시속 약 32.4 km)가 된다. 공기 덕분에 빗방울의 속력이 진공일 때와 비교했을 때 약 95 % 정도 감소한다.

모범답안

2 낙하산은 공기와 닿는 면적을 넓게 하여 공기 저항을 크게 하여 속력을 줄여준다.

해설 낙하산을 매단 너트는 너트만 떨어뜨렸을 때보다 더 천천히 떨어진다. 낙하산을 매달면 낙하산의 넓은 천에 의해 공기 저항이 증가하므로 물체가 천천히 안전하게 땅에 내려온다.

예시답안

3 ❶
- 낙하산을 더 크게 만든다.
- 낙하산 모양을 동그랗게 만든다.
- 줄의 길이를 길게 한다.
- 낙하산 줄의 수를 많이 한다.
- 낙하산의 무게를 가볍게 한다.
- 낙하산에 공기가 빠져나가는 구멍이 없어야 한다.

❷

• 가설 1 : 낙하산을 크게 만들면 너트가 천천히 떨어질 것이다.

• 실험방법

–같게 해야 할 것 : 낙하산의 구멍 수, 낙하산 줄의 길이와 수, 낙하산을 떨어뜨리는 높이

–다르게 해야 할 것 : 낙하산의 크기

① 20 cm 크기의 정사각형 모양의 낙하산을 만든다.

② 정사각형 모서리에 30 cm 길이의 실 네 가닥을 연결하고 너트에 묶는다.

③ 2 m 높이에서 낙하산을 떨어뜨리면서 너트가 떨어지는 시간을 측정한다.

④ 30 cm, 40 cm, 50 cm 크기의 정사각형 모양의 낙하산을 만들고 같은 방법으로 실험한다.

• 예상되는 결과

낙하산이 클수록 공기 저항을 많이 받으므로 너트가 천천히 떨어질 것이다.

• 가설 2 : 낙하산에 구멍이 없으면 너트가 천천히 떨어질 것이다.

• 실험방법

–같게 해야 할 것 : 낙하산의 크기, 낙하산 줄의 길이와 수, 낙하산을 떨어뜨리는 높이

–다르게 해야 할 것 : 낙하산의 구멍 수

① 30 cm 크기의 정사각형 모양의 낙하산을 만든다.

② 정사각형 모서리에 30 cm 길이의 실 네 가닥을 연결하고 너트에 묶는다.

③ 2 m 높이에서 낙하산을 떨어뜨리면서 너트가 떨어지는 시간을 측정한다.

④ 낙하산에 구멍을 1개, 2개, 3개, 4개, 5개를 뚫고 같은 방법으로 실험한다.

• 예상되는 결과

낙하산에 구멍이 있으면 구멍으로 공기가 빠져나가므로 공기 저항이 작아져 너트가 빨리 떨어질 것이다.

• 가설 3 : 낙하산 줄의 길이가 길면 너트가 천천히 떨어질 것이다.

• 실험방법

–같게 해야 할 것 : 낙하산의 크기, 낙하산의 구멍 수, 낙하산 줄의 수, 낙하산을 떨어뜨리는 높이

–다르게 해야 할 것 : 낙하산 줄의 길이

① 30 cm 크기의 정사각형 모양의 낙하산을 만든다.

② 정사각형 모서리에 20 cm 길이의 실 네 가닥을 연결하고 너트에 묶는다.

속력을 줄여주는 낙하산

③ 2 m 높이에서 낙하산을 떨어뜨리면서 너트가 떨어지는 시간을 측정한다.
④ 낙하산 줄의 길이를 30 cm, 40 cm, 50 cm로 만들고 같은 방법으로 실험한다.

• 예상되는 결과
낙하산 줄의 길이가 길수록 낙하산이 넓은 모양으로 만들어지고, 낙하산이 넓을수록 공기 저항을 많이 받으므로 너트가 천천히 떨어질 것이다.

해설 ①

• 낙하산이 클수록 낙하산 면적이 커지므로 공기 저항을 많이 받아 너트가 천천히 떨어진다.
• 낙하산이 원모양을 이룰수록 낙하산 면적이 커지므로 공기 저항을 많이 받아 너트가 천천히 떨어진다.
• 낙하산 줄의 길이가 길수록 낙하산 면적이 커지므로 공기 저항을 많이 받아 너트가 천천히 떨어진다. 그러나 낙하산 줄이 너무 길면 줄이 엉킬 수 있으므로 너무 길게 하지 않는다.
• 낙하산 줄의 수가 많을수록 낙하산이 원형을 유지하므로 공기 저항을 많이 받아 너트가 천천히 떨어진다. 그러나 낙하산 줄이 너무 많으면 줄이 엉킬 수 있으므로 너무 많이 하지 않는다.
• 낙하산의 무게를 가볍게 하면 공기 저항에 의해 속력이 크게 증가하지 않는다.
• 낙하산에 공기가 빠져나가는 구멍이 있으면 공기 저항을 작게 받아 속력이 빨라진다.

② 낙하산 모양을 변형시켜 실험할 때 낙하산 전체 넓이는 같아야 한다.

STEP 3 융합 사고

모범답안

1 두 사람이 함께 뛰어내리면 중력이 크게 작용하므로 공기 저항을 많이 받아야 한다. 따라서 주 낙하산을 빨리 펴야 한다.

해설 두 사람이 함께 뛰어내리면 무게가 무거우므로 공기 저항을 많이 받을 수 있는 큰 낙하산을 사용해야 하고 뛰어내리자마자 보조 낙하산을 펴 한 사람이 떨어질 때의 속력으로 늦춰야 한다. 아래로 떨어지는 물체는 처음에는 아래로 작용하는 중력에 의해 속력이 점점 증가한다.

하지만 떨어질수록 위로 작용하는 공기 저항도 커진다. 중력과 공기 저항의 크기가 같아지면 물체는 일정한 속력으로 떨어지며 이때의 속력을 종단 속도라고 한다. 시속 200 km의 속력으로 떨어지는 스카이다이버가 낙하산을 펴면 공기 저항이 커져 종단 속도가 시속 약 20 km가 된다. 이 빠르기는 초속 약 5.5 m의 속력으로 벽에 부딪히는 것과 같으며 약 1.3 m 높이에서 떨어지는 속도다.

모범답안

2 구멍을 열고 닫으면서 낙하산의 방향을 조절할 수 있기 때문이다.

해설

- 대류현상으로 아래에서 위로 바람이 불 때 구멍으로 공기를 빼주면 낙하산이 바람을 타고 위로 올라가는 것을 막을 수 있다.
- 구멍으로 공기를 빼내면 낙하산이 좌우로 움직이며 불규칙하게 떨어지는 것을 막을 수 있다.
- 구멍으로 공기를 빼내면 낙하산을 좌우 방향으로 조절할 수 있다. 뒤쪽 구멍을 열면 열린 구멍에서 공기가 빠져나가면서 낙하산이 앞으로 나가고, 오른쪽 구멍을 막으면 낙하산이 오른쪽으로 돌고, 왼쪽 구멍을 막으면 왼쪽으로 돈다. 낙하산에 방향을 조절할 수 있는 구멍이 없다면 스카이다이버들은 정확한 지점에 착륙할 수 없다.
- 낙하산의 목적은 사람이나 물건을 최대한 천천히 착륙시키는 것이 아니라 적당한 속력으로 떨어지게 하는 것이다. 오늘날 사람이 타는 낙하산은 나일론으로 만들며, 낙하산 몸체와 보조 낙하산, 낙하산용 가죽 멜빵에 매다는 줄이 한 묶음으로 배낭에 들어 있다. 낙하산 몸체는 최고 28개의 기다란 천이나 삼각천을 이어서 튼튼하게 만든다. 이 천조각들은 더욱 작은 조각으로 이루어져 있어서 한 곳이 찢어져도 구멍이 더 이상 커지지 않도록 꿰매어져 있다.

예시답안

3

- 에어백을 사용한다.
- 낮은 속력으로 표면에 충돌하여 착륙한다.
- 행성의 궤도에 진입하고 나서 천천히 행성 주위를 돌면서 행성에 존재하는 대기의 힘과 역추진 로켓의 힘을 빌어 안전한 장소에 착륙한다

해설 탐사선의 착륙에는 달 표면에 자유낙하하며 강한 충격을 받으면서 떨어지는 경착륙과 착륙 장치나 첨단 장비에 손상이 가지 않도록 사뿐히 내려 앉는 연착륙이 있다. 창어 3호가 성공한 것은 바로 연착륙이다. 연착륙이 경착륙에 비해 훨씬 어려운 기술이다. 연착륙을 위해 창어 3호에는 무려 7천 5백 마력의 엄청난 성능의 엔진이 장착돼 있다. 창어 3호는 달 상공 15 km 궤도에서 역추진 방식으로 하강하기 시작하여 10 m 상공에서부터 달 표면 착륙 지점에 장애물이 있는지 확인해가며 착륙 예정지인 '무지개의 바다' 지역에 정확히 착륙했다.

• 마력 : 말 한 마리가 끄는 힘 또는 75 kg의 무게를 1초 동안 1 m를 들어올릴 수 있는 힘

태양빛을 이용한 수상보트

STEP 1 문제 인식

모범답안

1 모터, 모터를 회전시킬 수 있는 전기 또는 동력을 만들 수 있는 엔진

해설 비행기, 헬리곱터, 배, 모터보트는 연료를 태워 엔진을 작동시키고 엔진이 프로펠러를 돌려 추진력을 만든다. 모형 장난감의 경우 건전지를 이용해 모터를 회전시킨다.

모범답안

2
- 화력 발전 : 석탄, 석유, 천연가스를 태워 발생한 에너지로 발전기를 돌려 전기를 만든다.
- 원자력 발전 : 핵분열 반응을 통해 발생한 에너지로 발전기를 돌려 전기를 만든다.
- 수력 발전 : 떨어지는 물이 가진 에너지로 발전기를 돌려 전기를 만든다.
- 풍력 발전 : 바람이 가진 에너지로 프로펠러(발전기)를 돌려 전기를 만든다.
- 태양광 발전 : 태양전지를 이용하여 태양빛을 전기로 바꾼다.
- 태양열 발전 : 태양열을 이용하여 발전기를 돌려 전기를 만든다.
- 조력 발전 : 밀물 때 들어온 물을 가두어 썰물 때 내보내면서 생긴 에너지로 발전기를 돌려 전기를 만든다.
- 파력 발전 : 파도가 가진 에너지로 발전기를 돌려 전기를 만든다.
- 지열 발전 : 지구 내부의 열로 발전기를 돌려 전기를 만든다.
- 바이오 에너지 : 농작물, 가축배설물, 음식쓰레기 등을 이용하여 발전기를 돌려 전기를 만든다.

해설 교재의 왼쪽 사진은 인천 영흥화력발전소이고 오른쪽 사진은 부산 고리원자력 발전소이다. 석유, 석탄, 천연가스, 원자력 등 화석연료를 대체하는 새로운 에너지원을 신재생 에너지라고 한다. 신에너지는 수소 에너지, 연료전지 등이 있고 재생에너지는 태양 에너지, 풍력 에너지, 바이오 에너지, 폐기물 에너지, 지열 에너지, 수력 에너지, 해양 에너지 등이 있다.

태양빛을 이용한 수상보트

▲ 경기 청평 수력발전소

▲ 강원 태백 풍력발전소

▲ 전남 영암 태양광발전소

▲ 미국 네바다주 태양열발전소

▲ 경기 시화 조력발전소

▲ 영국 파력발전시스템

▲ 아이슬란드 지열발전소

STEP 2 문제 해결

모범답안

1 프로펠러가 돌아가면서 보트가 앞으로 움직인다.

해설 태양전지에서 전기가 만들어지면 프로펠러가 회전한다. 프로펠러가 회전하면서 공기를 뒤로 밀어내면 반작용에 의해 보트가 앞으로 나아간다. 프로펠러 뒤쪽에 손을 대면 바람이 불어 나오는 것을 확인할 수 있다. 실험 키트에 포함된 태양전지는 평균 1 V, 150 mA의 전기를 만들고, 모터는 낮은 전류에서도 작동하는 저전류 모터이다. 태양전지가 태양빛을 받으면(그늘이 없을 때) 프로펠러가 돌아간다. 실내에서 실험할 경우 핸드폰 플래쉬 빛을 태양 전지 위 1 cm 정도에서 비추어도 프로펠러가 돌아간다. 플래쉬 빛이 약하면 전달된 에너지 양이 적어서 모터가 작동하지 않을 수도 있다.

모범답안

2
- 태양빛을 받을 때 움직인다.
- 가까이에서 핸드폰 플래쉬 빛을 받을 때 움직인다.

해설 수상보트는 물 위에서는 마찰이 작아 잘 움직이지만 땅이나 책상 위에서는 마찰이 커서 움직이지 않는다.

예시답안

3 ❶
- 햇빛이 강한 시간에 작동시킨다.
- 태양전지 전체가 햇빛을 받을 수 있도록 가려지는 부분이 없도록 한다.
- 태양전지가 태양빛을 수직으로 받을 수 있도록 한다.
- 태양전지가 빛을 가까이에서 받을 수 있도록 한다.
- 더 큰 태양전지나 효율이 더 좋은 태양전지를 이용한다.
- 수상보트를 가볍게 만든다.
- 더 큰 프로펠러를 이용한다.

❷
- 가설 1 : 태양전지가 빛을 받는 면적이 넓으면 보트가 빨리 움직일 것이다.
- 실험방법
  - 같게 해야 할 것 : 태양전지가 빛을 받는 각도, 태양전지와 빛의 거리
  - 다르게 해야 할 것 : 태양전지가 햇빛을 받는 면적

  ① 태양전지를 수직으로 세운다.
  ② 태양전지가 가려지지 않도록 태양빛 아래 두고 보트를 움직이게 한다.
  ③ 태양전지의 $\frac{1}{4}$, $\frac{1}{2}$, $\frac{3}{4}$ 을 가리고 태양빛 아래 두고 보트를 움직이게 한다.

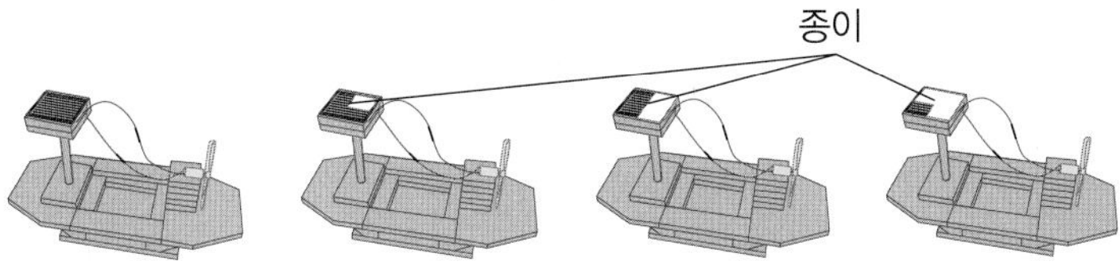

- 예상되는 결과
  태양전지가 가려지면 태양 빛을 많이 받지 못해 전기가 많이 만들어지지 않아

태양빛을 이용한 수상보트

프로펠러가 빨리 회전하지 않으므로 보트가 빨리 나아가지 못할 것이다. 태양 전지에 가려지는 부분이 없을수록 보트가 빨리 나아갈 것이다.

- 가설 2 : 태양 전지가 태양 빛을 수직으로 받으면 보트가 빨리 움직일 것이다.
- 실험방법
  - 같게 해야 할 것 : 태양전지가 햇빛을 받는 면적, 태양전지와 빛의 거리
  - 다르게 해야 할 것 : 태양전지가 빛을 받는 각도

  ① 태양전지를 수직(90°)으로 세운 후 태양빛 아래에 두고 보트를 움직이게 한다.

  ② 태양전지를 70°, 45°, 20°로 기울인 후 태양빛 아래에 두고 보트를 움직이게 한다.

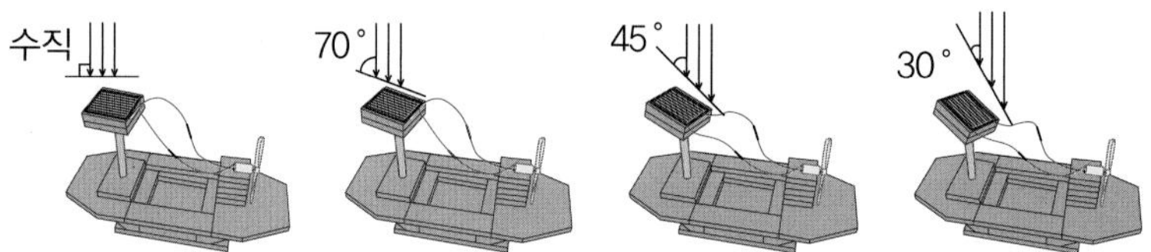

- 예상되는 결과

  태양전지가 태양빛과 수직을 이룰수록 태양 빛을 많이 받아 전기가 많이 만들어지므로 프로펠러가 빨리 회전해 보트가 빨리 나아갈 것이다.

- 가설 3 : 태양전지와 빛이 가까우면 보트가 빨리 움직일 것이다.
- 실험방법
  - 같게 해야 할 것 : 태양전지가 빛을 받는 각도, 태양전지가 햇빛을 받는 면적
  - 다르게 해야 할 것 : 태양전지와 빛의 거리

  ① 태양전지를 수직으로 세우고 핸드폰 플래쉬를 태양전지 위 0.5 cm에 위치한 후 보트를 움직이게 한다.

  ② 핸드폰 플래쉬를 태양전지 위 1 cm, 1.5 cm, 2 cm, 2.5 cm, 3 cm에 위치한 후 보트를 움직이게 한다.

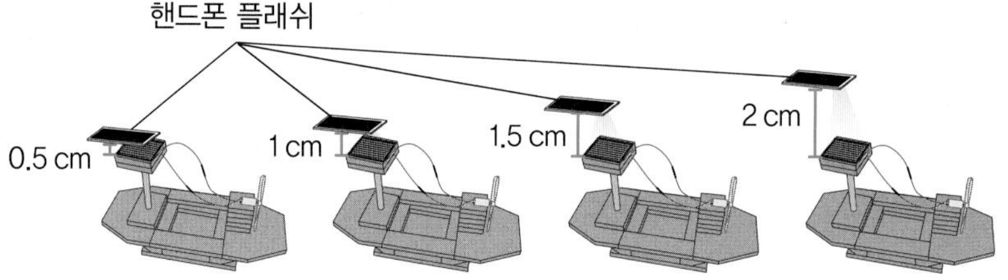

- 예상되는 결과

  태양전지와 핸드폰 플래쉬 사이의 거리가 가까울수록 태양 빛을 많이 받아 전기가 많이 만들어지므로 프로펠러가 빨리 회전해 보트가 빨리 나아갈 것이다.

해설 ❶ 태양전지의 효율이 높을수록, 태양전지 여러 개를 직렬로 연결할수록, 태양전지가 태양 빛을 수직으로 많이 받을수록 프로펠러가 빨리 돌아가므로 수상 보트의 속력이 빨라진다.

❷ 가설 1과 가설 2는 태양빛 아래 또는 핸드폰 플래쉬를 이용하여 실험해도 된다. 그러나 가설 3은 태양과 지표면의 거리를 조절할 수 없으므로 핸드폰 플래쉬를 이용하여 실험한다.

STEP 3 융합 사고

예시답안

1

- 계산기, 라디오 : 건전지를 넣지 않고 사용할 수 있다.
- 태양전지 자동차 : 기름을 넣지 않고 달릴 수 있다.
- 태양전지 주택 : 전기를 직접 만들어서 사용할 수 있다.
- 고속도로 가로등 : 전기를 직접 만들어서 가로등을 켤 수 있다.
- 인공위성, 탐사선, 우주정거장 : 발전소가 없어도 전기를 직접 만들어 사용할 수 있다.

해설 태양전지가 사용되는 곳은 다음과 같다.

- 항공 우주용 : 인공위성, 탐사선, 비행기, 비행선 등
- 통신시설 : 무선중계기, 방송중계국 등
- 도로, 교통, 해양 : 무인등대, 선박 비상 전원, 가로등, 도로 표지판, 긴급 전화, 무인 신호등 등
- 자동차 : 태양전지 자동차, 전기 자동차 보조 전원 등
- 주택 : 주택이나 건물 전원 공급 등
- 생활 : 라디오, 배터리 충전기, 계산기, 조명 등
- 재해, 안전 : 산불 감시 카메라, 지진 비상 전원 등
- 발전소 : 태양광 발전소 등

태양빛을 이용한 수상보트

모범답안

2

- 태양전지판이 너무 비싸서 초기 설치비가 절약되는 전기료보다 훨씬 많기 때문이다.
- 고장나면 고치는 것이 어렵고 비용이 많이 들기 때문이다.
- 구름이 많이 끼고 날씨가 흐리면 전기를 많이 만들지 못하기 때문이다.
- 무거운 태양전지판을 지탱할 수 있도록 지붕을 튼튼하게 지어야 하기 때문이다.
- 태양전지의 효율이 낮아서 아파트와 같은 공동주택에서 사용하는 많은 전기를 공급하지 못하기 때문이다.

해설 주택전용 태양전지판은 설치 공간이 많이 필요하고 주변 구조물의 그림자에 의해 일부라도 가려질 경우 최대 약 40 %까지 발전 성능이 떨어질 수 있다. 따라서 계절별로 주변 구조물의 그림자 위치를 고려해 그림자가 생기지 않는 공간에 태양전지판을 설치해야 한다.

예시답안

3

- 태양전지 커튼 또는 창문 : 커튼을 태양전지로 만들거나 창문에 태양전지를 붙여 전기를 만들어 사용하면 전력 부족을 해결할 수 있다.
- 캠핑용 태양전지 : 캠핑갈 때 가방에 접거나 말아서 간 후 텐트 위에 펼쳐 놓고 전기를 만들어 사용한다.
- 태양전지 텐트 : 텐트 윗부분을 태양전지로 만들어 캠핑장에서 전기를 만들어 사용한다.
- 태양전지 모자 : 모자 위쪽에 태양전지를 붙여 여행 중에 핸드폰, MP3, 디지털 카메라 등을 충전한다.
- 휴대용 충전장치 : 평소엔 접거나 말아서 가지고 다니다가 필요할 때 넓게 펴서 전기를 만들어 핸드폰, MP3, 디지털카메라 등을 충전한다.
- 태양전지 비닐하우스 : 비닐하우스에 필요한 전기를 태양전지로 만들어 사용한다.

해설 휘어지는 태양전지는 입는 컴퓨터나 유연한 스마트폰처럼 미래형 전자 기기에 활용할 수 있는 태양전지이다. 휘어지는 태양전지는 태양전지 시장의 80 %이상을 차지하는 1세대 실리콘 태양전지와 2세대 박막 태양전지에 이은 미래형 태양전지이다. 휘어지는 태양전지는 신문처럼 인쇄하듯 대량으로 생산할 수 있으므로 비용을 크게 낮추면서 효율성을 높일 수 있다.

자유롭게 휘어지기 때문에 옷이나 텐트처럼 휴대용으로 만들 수 있다. 휘어지는 태양전지는 기존 실리콘 태양전지와 박막 태양전지보다 효율성은 떨어지지만 소재 비용을 대폭 줄일 수 있고 제작 공정이 간편한 장점이 있다.

콩이 싹트는 조건

STEP 1 문제 인식

모범답안

1 배축에 해당되며 전체가 뿌리는 아니다.

해설 일반적으로 콩나물은 머리와 꼬리로 구분된다고 이야기한다. 머리는 자엽(cotyledon)으로 콩이 자라서 떡잎이 되는 부분이고, 꼬리는 배축(hypocotyl)과 뿌리(root)의 두 부위로 구성된다. 배축은 콩을 심었을 때 땅 속에서 지상으로 자엽을 밀어 올리는 부분으로 뿌리는 아니다. 배축을 따라 내려가다 보면 갑자기 좁아지고 얇아지는 부분이 있는데 그 부분이 뿌리에 해당되며, 잔뿌리가 발생하는 곳이다. 콩나물은 콩이 싹터 자라는 과정에서 영양 성분이 달라진다. 콩나물 생장 과정 중 지방은 현저히 감소하고 섬유소는 증가하며, 바이타민류(바이타민 A, 바이타민 C)가 아주 많이 증가한다.

모범답안

2

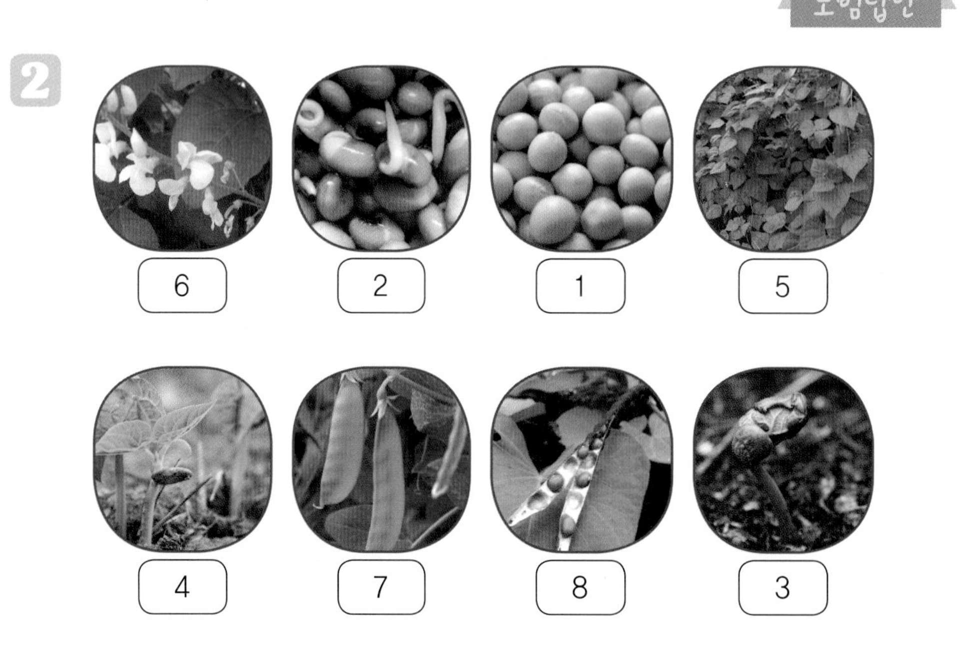

해설 식물의 한살이 과정은 씨앗에서 싹이 터서 뿌리가 나오고, 본잎이 나온 후 잎과 줄기가 자라서 꽃이 피고 열매를 맺어 대를 잇는다.

STEP 2 문제 해결

모범답안

1 ❶ 겨울에는 기온이 낮으므로 씨앗 상태로 겨울을 보낸 후 봄이 되어 적당한 온도가 되면 싹이 튼다.

❷ 사막에는 물이 없으므로 식물이 자라기 힘들다.

해설 ❶ 겨울에는 건조한 환경이 지속되기 때문에 수분이 부족하여 씨앗이 싹트는 것이 어렵다. 각 씨앗마다 필요한 적정 온도가 다르며, 적정 온도보다 높아지면 씨앗 내 단백질(화학 변화를 촉진하고 진행하는 효소 등)의 효율이 저하되거나 변성을 일으켜서 발아율이 떨어지고 씨앗이 죽을 수도 있다. 씨앗은 서늘하고 공기가 잘 통하는 곳에 보관하는 것이 좋다.

모범답안

2 물, 온도, 공기(산소)

해설 씨앗이 싹트는 데 필요한 양분은 떡잎(콩과 식물)이나 배젖에 저장되어 있으므로 햇빛은 필요없다. 햇빛은 본잎이 난 후 광합성을 할 수 있을 때 필요하다. 씨앗은 무게의 5~20 % 만 물로 되어 있어 물을 흡수해야 싹이 트기 시작한다.

예시답안

3
- 가설 1 : 콩나물 콩이 싹트는 데 물이 꼭 필요할 것이다.
- 실험방법
  - 같게 해야 할 것 : 콩나물 콩의 양, 온도, 햇빛
  - 다르게 해야 할 것 : 물

  ① 페트병 화분 두 개에 콩나물 콩을 열 개씩 넣는다.

  ② 페트병 화분 A에는 솜이 젖을 정도로 물을 충분히 주고 페트병 화분 B에는 물을 주지 않는다.

콩이 싹트는 조건

③ 두 페트병 화분을 햇빛이 비치는 따뜻한 곳에 둔다.

④ 페트병 화분 A에는 매일매일 물을 주고, 페트병 화분 B에는 물을 주지 않으면서 일주일간 키운다.

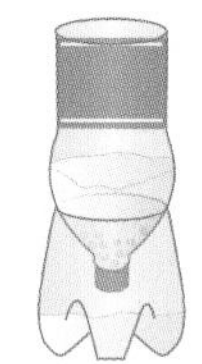
▲ 물을 준다.

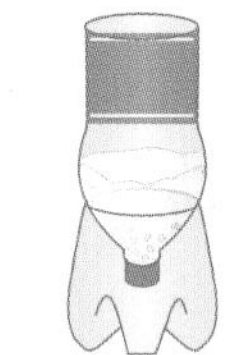
▲ 물을 주지 않는다.

• 예상되는 결과

물을 준 콩나물 콩은 싹이 트지만 물을 주지 않은 콩나물 콩은 싹이 트지 않는다.

• 가설 2 : 콩나물 콩이 싹트는 데 햇빛은 필요하지 않을 것이다.

• 실험방법

-같게 해야 할 것 : 콩나물 콩의 양, 온도, 물

-다르게 해야 할 것 : 햇빛

① 페트병 화분 두 개에 콩나물 콩을 열 개씩 넣고 물을 충분히 준다.

② 페트병 화분 C는 그대로 두고 페트병 화분 D는 검은 봉지로 감싼다.

③ 두 페트병 화분을 햇빛이 비치는 따뜻한 곳에 둔다.

④ 두 페트병 화분에 매일매일 물을 주면서 일주일간 키운다.

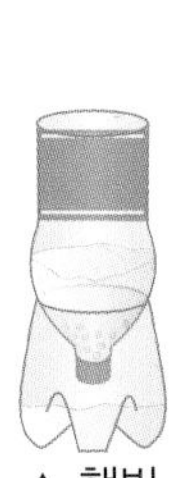
▲ 햇빛

▲ 햇빛 차단

• 예상되는 결과

씨앗이 싹트는 데 햇빛은 필요하지 않으므로 그냥 둔 콩나물 콩과 검은 봉지로 감싼 콩나물 콩 모두 싹이 틀 것이다.

• 가설 3 : 콩나물 콩이 따뜻한 곳에 있어야 싹틀 것이다.

• 실험방법

-같게 해야 할 것 : 콩나물 콩의 양, 물, 햇빛

-다르게 해야 할 것 : 온도

① 페트병 화분 두 개에 콩나물 콩을 열 개씩 넣고 물을 충분히 준다.
② 페트병 화분 E는 스타이로폼 상자에 넣어 책상 위에 두고 페트병 화분 F는 스타이로폼 상자에 얼음과 함께 넣은 후 냉장고에 넣어 둔다.
③ 두 페트병 화분에 매일매일 물을 주면서 일주일간 키운다.

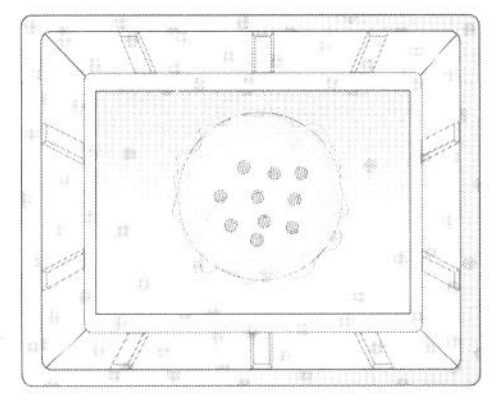
▲ 따뜻한 곳

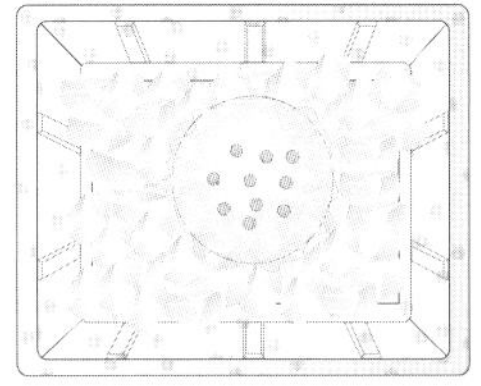
▲ 차가운 곳

• 예상되는 결과
차가운 냉장고에 넣어둔 콩나물 콩에서는 싹이 트지 않을 것이다.

STEP 3 융합 사고

모범답안

1
• 잎과 줄기가 자라지 못하고 뿌리만 길게 자란다.
• 햇빛을 받지 못하므로 영양분을 만들지 못해 잎과 줄기가 자라지 못한다.

해설 씨앗이 싹틀 때는 씨앗의 떡잎이나 배젖에 있는 영양분을 이용하고, 본잎이 나면 햇빛을 이용해 광합성을 하여 영양분을 만들어 자란다. 그러나 햇빛을 받지 못하면 영양분을 얻지 못하므로 식물이 자라기 힘들다.

모범답안

2
• 따뜻한 계절에 씨앗에서 싹이 터서 새로운 식물이 자라면 대를 이어갈 수 있기 때문이다.
• 식물이 추운 겨울을 나기 힘들므로 씨앗의 형태로 겨울을 나기 때문이다.

콩이 싹트는 조건

해설 식물은 씨앗, 잎과 뿌리, 알뿌리, 땅속 줄기 등을 이용하여 추운 겨울을 지낸다. 분꽃, 나팔꽃, 콩, 벼 등의 한해살이 식물은 온도가 낮아지면 줄기, 잎 등이 말라 죽고 씨앗을 남긴다. 여러해살이 풀은 씨앗 외에 여러 가지 방법으로 겨울을 보낸다. 민들레, 냉이, 엉겅퀴는 잎을 땅바닥에 낮게 깔고 잎과 뿌리로 추운 겨울을 보내고, 수선화, 튤립, 달리아 등은 잎과 줄기는 죽고 알뿌리로 겨울을 보낸다. 감자, 토란, 연 등은 땅속 줄기를 이용해 겨울을 지낸다. 단풍나무 은행 나무 등은 낙엽을 떨어뜨리고 겨울눈으로 겨울을 지내고, 동백나무와 소나무 등은 두꺼운 잎으로 겨울을 지낸다.

▲ 겨울 민들레 잎

▲ 튤립 알뿌리

▲ 감자 땅속 줄기

▲ 단풍나무 낙엽

예시답안

3
- 여름과 가을에 수확한 과일과 채소를 냉장고나 냉장창고에 보관해 두었다가 겨울에 먹는다.
- 겨울에 비닐하우스나 온실을 짓고 안을 따뜻하게 난방하여 과일과 채소를 재배한다.
- 겨울에 난방을 하는 가정집의 베란다 텃밭을 이용하여 간단한 채소를 재배한다.
- LED 채소재배기를 이용하여 간단한 채소를 재배한다.

해설 옛날에는 제철에만 과일을 먹을 수 있었고 추운 겨울에는 식물이 자라지 않아 과일도 나지 않았고 먹을 것이 없어 굶어죽기도 하였다. 그러나 요즘은 비닐하우스에서 난방을 하면서 식물을 키우므로 제철과일을 다른 계절에도 먹을 수 있게 되었으며 열대지방의 과일들도 재배가 가능해졌다. 현재 비닐하우스는 채소류의 재배에 가장 많이 쓰이며 꽃과 과일의 재배에도 이용되고 있다. 비닐 하우스 온실은 겨울철에 여름용 농작물을 재배하여 농가의 수익을 보장하는 것이 목적이였다. 그러나 요즘은 비닐하우스의 난방비로 인해 농작물의 가격이 올라가고, 모든 농작물이 3월에 출하되므로 농작물 가격이 폭락하여 오히려 농가의 부담이 되기도 한다.

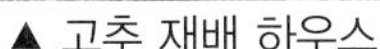
▲ 고추 재배 하우스

▲ 한라봉 재배 하우스

▲ 장미 재배 하우스

과학7 공기로 날아가는 로켓

STEP 1 문제 인식

모범답안

1 우주비행체(인공위성, 인공행성, 달탐사선 등)를 우주로 보내는 장치이다.

해설 로켓은 우주개발의 기본적인 도구로 최첨단 운반 기구이다. 인공위성을 발사하기 위해서는 초당 7.8 km의 속도를 낼 수 있는 로켓이 필요하다. 만약 자체 발사체를 개발하지 못하면 엄청난 비용을 주고 외국의 발사체를 사용해야 한다. 우리나라에서 대기권을 돌파해 우주 공간으로 나가는 로켓은 나로호가 처음이지만, 나로호가 최초의 로켓은 아니다. 우리나라의 최초의 로켓은 조선시대의 신기전이고, 1993년을 시작으로 KSR-1, KSR-2, KSR-3을 거쳐 나로호(KSLV-1)가 개발되었다. KSL-1은 미사일 같은 것으로, 고체 연료를 사용하였고 사거리가 길지 않다. KSL-2는 단분리형 과학로켓으로, 다단로켓을 제작하기 위한 기초로 제작된 로켓이다. KSL-3은 2002년에 발사에 성공한 액체추진로켓이다. 액체추진로켓은 연소를 조절할 수 있으며 추진력이 강하다. 로켓에 핵, 화합물, 폭발물을 실으면 미사일이 된다.

모범답안

2
- 에어로켓 : 공기, 펌프
- 물로켓 : 물, 공기, 펌프
- 화약로켓 : 화약, 공기, 불
- 나로호 : 연료, 산소, 점화장치, 엔진

해설
- 에어로켓은 압축 공기를 순간적으로 내뿜으면서 날아간다.
- 물로켓은 물과 압축 공기를 순간적으로 내뿜으면서 날아간다.
- 화약로켓은 화약을 태워서 생긴 힘으로 날아간다.
- 나로호는 엔진에서 연료를 태워서 생긴 힘으로 날아간다.
- 우주에는 산소가 없으므로 연료와 연소에 필요한 산화제를 함께 실어야 한다. 나로호의 전체 무게는 140 톤인데 그 중 추진제의 무게만 130 톤(전체 무게의 92.86 %)이다. 나로호의 연료는 케로신(등유, 러시아에서 정제한 엔진 전용 기름)이고 산화제는 액체 산소를 사용했다.

액체 산소

STEP 2 문제 해결

모범답안

1 로켓이 연료를 태워 만든 기체를 아래로 뿜어내면 기체가 로켓을 밀어 올려준다.

해설 주엔진에서 로켓의 연료와 산화제를 태우면 가스가 발생된다. 로켓은 발생된 가스만으로 추진력을 얻는 것이 아니라, 이 가스를 노즐을 통해 내보내면서 생긴 반작용으로 앞으로 나아간다.

모범답안

2 주사기의 피스톤을 누르면 주사기 안의 공기가 에어로켓을 빠른 속도로 밀어준다.

해설 이번 실험에서 사용하는 에어 로켓은 외부에서 힘을 주어 로켓을 앞으로 나아가게 한다. 실제 로켓은 연료를 태워 높은 온도와 압력의 기체를 발생시킨 후 이것을 빠르게 밖으로 내보내고(작용) 그 반작용으로 앞으로 나아간다.

예시답안

3 ❶

- 피스톤을 최대한 뒤로 빼서 주사기 안에 공기를 많이 채운다.
- 더 큰 주사기나 페트병을 사용한다.
- 주사기의 피스톤을 순간적으로 강하게 민다.
- 45° 정도로 기울인 후 발사한다.

공기로 날아가는 로켓

2

- 가설 1 : 주사기 안에 공기를 많이 채우면 에어로켓이 멀리 날아갈 수 있을 것이다.
- 실험방법
  - 같게 해야 할 것 : 주사기 크기, 에어로켓의 종류, 로켓 발사각도, 피스톤을 미는 힘
  - 다르게 해야 할 것 : 공기의 양

① 피스톤을 주사기의 $\frac{1}{4}$ 위치에 놓고 에어로켓을 끼운 후 45°의 각도로 발사시킨다.

② 피스톤을 주사기의 $\frac{1}{2}$ 위치에 놓고 에어로켓을 끼운 후 45°의 각도로 발사시킨다.

③ 피스톤을 주사기의 $\frac{3}{4}$ 위치에 놓고 에어로켓을 끼운 후 45°의 각도로 발사시킨다.

④ 피스톤을 주사기의 제일 끝부분에 놓고 에어로켓을 끼운 후 45°의 각도로 발사시킨다.

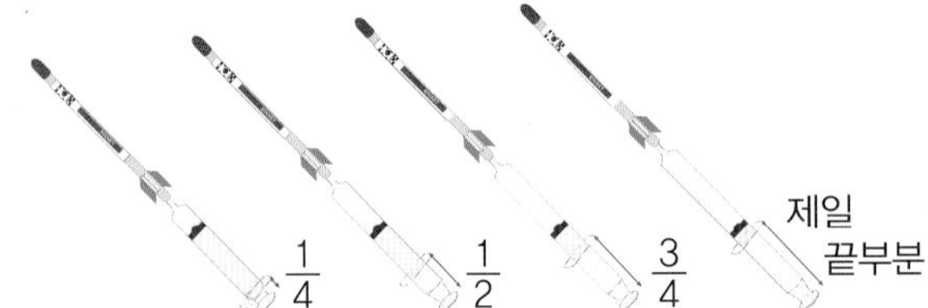

- 예상되는 결과

피스톤을 주사기 끝에 놓을수록 주사기 안의 공기의 양이 많아져 에어로켓을 미는 힘이 강해지므로 에어로켓이 멀리까지 나아갈 것이다.

- 가설 2 : 주사기의 피스톤을 순간적으로 강하게 밀면 에어로켓이 멀리 날아갈 수 있을 것이다.
- 실험방법
  - 같게 해야 할 것 : 주사기 크기, 피스톤의 위치, 에어로켓의 종류, 로켓 발사각도
  - 다르게 해야 할 것 : 피스톤을 미는 힘

① 피스톤을 주사기의 제일 끝부분에 놓고 로켓을 끼운 후 45°의 각도로 잡고, 5초에 걸쳐 피스톤을 천천히 밀어 발사시킨다.

② 피스톤을 주사기의 제일 끝부분에 놓고 로켓을 끼운 후 45°의 각도로 잡고, 3초에 걸쳐 피스톤을 천천히 밀어 발사시킨다.
③ 피스톤을 주사기의 제일 끝부분에 놓고 로켓을 끼운 후 45°의 각도로 잡고, 순간적으로 피스톤을 빠르게 밀어 발사시킨다.

• 예상되는 결과
피스톤을 빠르게 밀수록 에어로켓을 밀어주는 공기의 힘이 강해지므로 에어로켓이 멀리까지 나아갈 것이다.

• 가설 3 : 45 ° 정도로 기울여 발사할 때 에어로켓이 가장 멀리 날아갈 것이다.
• 실험방법
 – 같게 해야 할 것 : 주사기 크기, 피스톤의 위치, 에어로켓의 종류, 피스톤을 미는 힘
 – 다르게 해야 할 것 : 로켓 발사각도
① 피스톤을 주사기의 제일 끝부분에 놓고 로켓을 끼운 후 20°의 각도로 잡고, 순간적으로 피스톤을 빠르게 밀어 발사시킨다.
② 피스톤을 주사기의 제일 끝부분에 놓고 로켓을 끼운 후 45°의 각도로 잡고, 순간적으로 피스톤을 빠르게 밀어 발사시킨다.
③ 피스톤을 주사기의 제일 끝부분에 놓고 로켓을 끼운 후 60°의 각도로 잡고, 순간적으로 피스톤을 빠르게 밀어 발사시킨다.
④ 피스톤을 주사기의 제일 끝부분에 놓고 로켓을 끼운 후 90°의 각도로 잡고, 순간적으로 피스톤을 빠르게 밀어 발사시킨다.

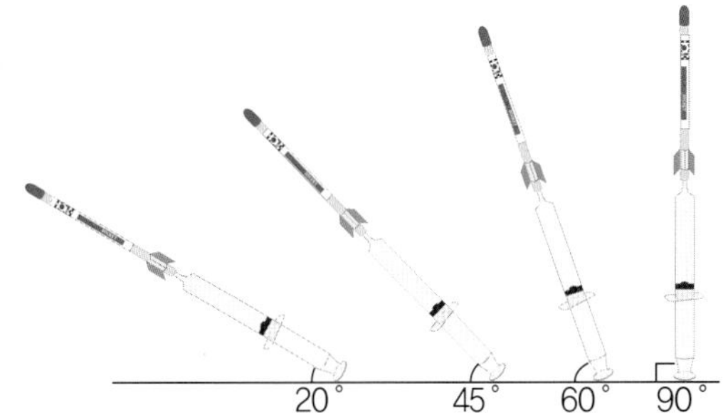

• 예상되는 결과
에어로켓을 45°의 각도로 발사시키면 에어로켓이 포물선을 크게 그리며 가장 멀리 날아갈 것이다.

해설 ① 에어로켓은 공기의 미는 힘에 의해 발사되므로 미는 힘이 클수록 멀리 날아간다.

공기로 날아가는 로켓

STEP 3 융합 사고

모범답안

1 ❶ 뾰족한 모양은 공기를 가르는 역할을 하므로 공기와의 마찰을 줄여 로켓이 빠른 속도로 나아가도록 한다.

❷ 1단의 연료를 모두 사용하면 텅 빈 1단 로켓을 아래로 떨어뜨려야 적은 연료로 더 높이 올라 갈 수 있기 때문이다.

해설 ❶ 앞부분이 뾰족하면 공기 저항이 작아 로켓의 속력이 빨라지고 로켓에 실은 물건도 손상되지 않는다.

❷

- 공기와 닿는 면적을 줄여 공기 저항을 작게 하기 위해서 로켓 몸통을 길게 만든다.
- 로켓이 대기권을 벗어나면 공기와의 마찰이 없어지므로 로켓의 중량을 줄이기 위해 로켓 앞부분(페어링)을 분리하여 떨어뜨린다.
- 노즐 입구를 작게 만든다. 연료를 태워 만든 기체를 좁은 노즐로 내보내야 기체가 나가는 힘(작용)이 강해지고 이에 따라 반작용도 커지므로 로켓이 빠른 속도로 날아갈 수 있기 때문이다.
- 몸통에는 날개가 없고 꼬리 부분에 작은 날개가 있다. 우주에는 공기가 없으므로 양력이 발생하지 않기 때문에 로켓 몸통에 날개가 있을 필요가 없다. 대기권에서 날아갈 때 로켓의 속력은 비행기보다 3배 정도 빠르므로 날개가 작아도 충분한 양력이 발생한다. 또한 날개가 크면 저항이 커지므로 작게 만든다.
- 나로호 1차 발사는 적정 고도에서 분리되어야 할 2단 로켓이 뒤늦게 분리되었고 로켓의 앞부분(페어링)이 한쪽만 분리되고 한쪽은 그대로 남아 있어 상승 속도를 내지 못하여 목표궤도에 진입하지 못하고 낙하하면서 대기권에서 소멸되었다. 나로호 2차 발사는 비행 중 폭발하여 실패했다.

모범답안

2
- 보통 인공위성을 우주로 보내기 위해서는 기술이 있는 미국이나 러시아에 거금을 주고 발사한다. 그러나 나라 자체에서 발사할 경우 보다 싼값에 우리나라의 기술로 인공위성을 발사할 수 있다.
- 나로호는 한번 발사하면 끝이 아니라 우리나라에 발사장을 건설하고 로켓을 발사할 수 있는 시스템을 구축하고 노하우를 쌓은 뒤 계속해서 이어질 우주개발에 초석을 마련하는 아주 중요한 과정이다.
- 나로호를 발사함으로써 우리나라도 스페이스 클럽에 가입할 수 있으며 자부심을 느낄 수 있다.

해설 21세기는 과학기술이 중요시되는 시대이다. 과학기술(항공우주분야, 정보통신, 생명과학, 나노기술 등)을 통해 나라가 발전하고 과학기술을 통해서 세계를 진두지휘할 수 있다. 우리나라는 나로호 이후에도 2021년 한국형 발사체 KSLV-2를 발사할 예정으로 지금도 계속해서 개발 중이다. 더 나아가 우리 땅에서 사람을 태운 로켓이 달까지 날아가 달 탐사를 한다는 거대한 계획도 있다.

예시답안

3
- 물로켓 몸체가 휘어지지 않도록 수직으로 만든다.
- 연료통에 공기를 많이 넣는다.
- 날개가 휘지 않도록 하고 대칭으로 붙인다.
- 탄두에 찰흙을 넣어 앞부분을 무겁게 한다.
- 50°로 날린다.

해설 물로켓에 물과 공기를 많이 채운다고 멀리 날아가지 않는다. 물이 많으면 물로켓의 무게가 무거워져 멀리 가지 못하고 물이 적으면 추진력이 약해서 멀리 가지 못한다. 일반적으로 물로켓 대회의 규정은 물로켓을 멀리 날리는 것이 아니라 정해진 목표지점(50 m 또는 70 m)에 가깝게 떨어뜨리는 것이다. 물과 공기의 양, 발사 각도, 물로켓 날개의 수와 모양에 의해서 날아가는 거리가 달라진다.

과학8 오줌싸개 인형의 원리

STEP 1 문제 인식

모범답안

1

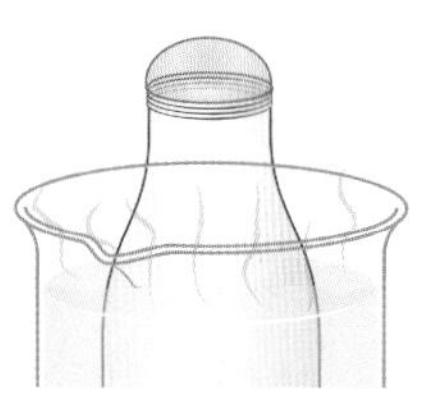
▲ 뜨거운 물

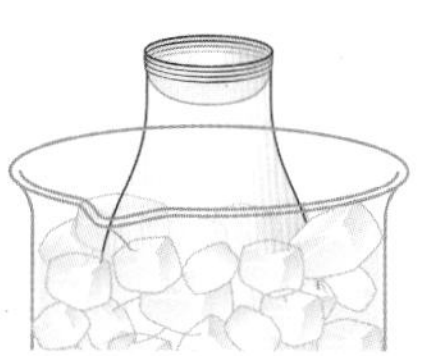
▲ 얼음 물

모범답안

2 • 뜨거운 물에 넣은 유리병 안의 공기 : 알갱이 사이의 간격이 넓다.
• 얼음물에 넣은 유리병 안의 공기 : 알갱이 사이의 간격이 좁다.

해설 뜨거운 물에 넣은 유리병 안의 공기는 온도가 높아 활발하게 움직이기 때문에 알갱이 사이의 거리가 넓어져 부피가 늘어나므로 비누막이 위로 솟아오른다. 반면 얼음물에 넣은 유리병 안의 공기는 온도가 낮아 움직임이 둔하기 때문에 알갱이 사이의 거리가 좁아져 부피가 감소하므로 비누막이 아래로 내려간다.

STEP 2 문제 해결

모범답안

1 ① 오줌싸개 인형에서 기포가 생긴다.

② 물이 오줌싸개 인형 안으로 들어간다. 물 높이가 낮아진다.

③ 오줌싸개 인형이 오줌을 싼다. 오줌싸개 인형에서 물이 나온다.

해설 ❶ 오줌싸개 인형은 속이 비어 있다. 뜨거운 물에 넣으면 오줌싸개 인형 안의 공기의 부피가 늘어나므로 구멍을 통해 공기가 밖으로 빠져나온다. 물이 뜨거울수록 기포가 많이 생긴다. 기포가 더 이상 생기지 않을 때까지 인형을 뜨거운 물에 담가둔다.

❷ 차가운 물에 넣으면 오줌싸개 인형 안의 공기의 부피가 줄어들어 구멍을 통해 물이 안으로 들어간다. 물이 차가울수록 인형 안으로 물이 많이 들어간다. 인형 안으로 물이 충분히 들어가도록 1분 가량 차가운 물에 담가둔다.

❸ 머리 위에 뜨거운 물을 부으면 오줌싸개 인형 안의 공기의 부피가 늘어나므로 물을 밖으로 밀어낸다. 뜨거운 물과 차가운 물의 온도 차이가 클수록 인형 안으로 물이 많이 들어가고 머리 위에 부어주는 물의 온도가 높을수록 물이 오랫동안 나온다.

예시답안

2 ❶

- 매우 뜨거운 물과 매우 차가운 얼음물을 사용한다.
- 인형의 구멍 크기를 작게 한다.
- 인형을 뜨거운 물과 차가운 물에 오랫동안 담가둔다.

❷

- 가설 1 : 매우 뜨거운 물과 매우 차가운 얼음물을 사용하면 오줌싸개 인형이 오줌을 오랫동안 쌀 수 있을 것이다.
- 실험방법
  ① 오줌싸개 인형을 아주 뜨거운 물에 담가둔다. 더 이상 기포가 생기지 않을 때까지 담가둔다.
  ② 뜨거운 물에 있는 오줌싸개 인형을 얼음물에 2분간 담가둔다.
  ③ 오줌싸개 인형을 쟁반 위에 올려놓고 머리 위에 아주 뜨거운 물을 조금씩 붓는다.

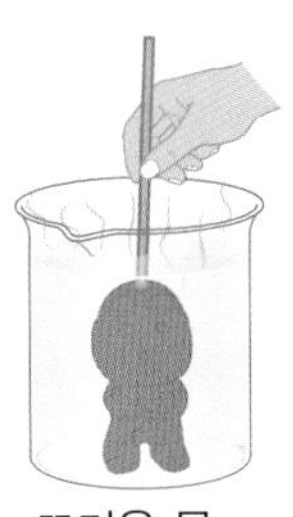
뜨거운 물

얼음물

- 예상되는 결과
  매우 뜨거운 물을 사용하면 인형 안의 공기가 많이 빠져나오고 얼음물을 사용하면 얼음 안으로 많은 물이 들어갈 것이며, 머리 위에 뜨거운 물을 부으면 인형 안의 공기 부피가 많이 증가하면서 물을 많이 밀어내므로 인형이 오줌을 오랫동안 쌀 수 있을 것이다.

- 가설 2 : 인형 구멍의 크기를 작게 하면 오줌싸개 인형이 오줌을 오랫동안 쌀 수 있을 것이다.
- 실험방법
  ① 오줌싸개 인형을 뜨거운 물에 담가둔다. 더 이상 기포가 생기지 않을 때까지 담가둔다.
  ② 뜨거운 물에 있는 오줌싸개 인형을 차가운 물에 2분간 담가둔다.
  ③ 오줌싸개 인형을 쟁반 위에 올려놓고 머리 위에 아주 뜨거운 물을 조금씩 붓는다.
  ④ 고무찰흙과 테이프를 이용하여 인형 구멍의 반을 막고 같은 방법으로 실험한다.
- 예상되는 결과
  인형 구멍의 크기가 줄어들면 물이 나오는 힘이 강해지고 인형이 오줌을 오랫동안 쌀 수 있을 것이다.

해설 ❶ 뜨거운 물과 차가운 물의 온도 차이를 크게 하면 인형 안으로 물이 많이 들어가고 많이 나온다. 인형 구멍의 크기가 작으면 물이 세게 멀리 나간다.

STEP 3 융합 사고

모범답안

1 온도가 높아지면 과자 봉지 안의 기체의 부피가 증가하기 때문이다.

해설 과자가 상하는 것을 막고 외부 충격으로부터 과자가 부서지는 것을 막기 위해 과자 봉지 안에 질소 기체를 넣는다.

예시답안

2 • 온도계를 뜨거운 물에 담그면 붉은 액체가 올라가고 차가운 물에 담그면 내려간다.
• 철도와 다리의 이음새의 틈은 여름에 좁아지고 겨울에 늘어난다.
• 전봇대의 전선이 여름에는 길게 늘어지고 겨울에는 짧아진다.
• 고체 온도계 안의 금속은 온도가 높으면 길이가 많이 늘어나고 온도가 낮으면 줄어든다.
• 여름에는 기름의 부피가 늘어나므로 주유하는 양이 줄어들고 겨울에는 부피가 줄어들므로 주유량이 늘어난다.
• 그릇 두 개가 포개여져 빠지지 않을 때 바깥 그릇을 뜨거운 물에 담그면 부피가 늘어나 그릇이 빠진다.
• 바이메탈은 열에 의해 늘어나는 정도가 다른 두 금속을 붙여 만든 것으로 자동온도조절장치에 사용된다.

예시답안

3 ① 지구온난화로 바닷물의 온도가 올라가 바닷물의 부피가 늘어났기 때문이다.

②
• 침수되는 도로나 지역을 포기하고 주민들을 안전한 곳으로 이주시킨다.
• 해안 사구(해류에 의해 운반된 모래가 쌓이는 곳)을 확대해 바닷물이 육지로 들어오지 못하도록 한다.
• 제방과 강둑을 높게 만든다.
• 넘친 물이 빨리 빠져나갈 수 있도록 하수 배수 처리 능력을 높인다.
• 우주공간에 거대한 가리개를 만들어 지구로 유입되는 태양광을 감소시킨다.
• 지구온난화를 늦추기 위해서는 이산화 탄소의 양을 줄여야 한다. 이를 위해 에너지 절약을 실천하고 대중교통을 이용하며 채식을 한다.

해설 ① 지구온난화로 인해 바닷물의 온도가 올라가면 바닷물의 부피가 늘어나 해수면이 상승한다. 해수면 상승으로 인해 남극과 그린란드의 빙상 및 주변부가 녹아 바다에 유입되면서 해수면이 더욱 더 상승한다. 1901년부터 2010년에 전 지구 평균 해수면은 0.19 m 상승했으며 19세기 중반 이후의 해수면 상승률은 19세기 이전의 2,000년 동안의 평균 비율보다 크다.

이 추세라면 2100년엔 해수면이 1 m나 올라 국토 면적의 4 %에 이르는 해안이 사라진다. 특히 제주도는 주변 바닷물의 온도가 다른 지역보다 더 많이 상승하기 때문에 전 지구 해수면의 상승률보다 3배 빠르게 상승하고 있다.

❷

- 환경파괴로 발생하는 난민을 환경난민이라고 한다. 환경난민 중 기후난민 문제가 가장 심각한 지역으로 알려진 남태평양 적도 부근의 섬들은 국토 전체가 해수면 상승으로 이미 국가 존립 자체가 위협받고 있는 상황이다. 특히 투발루의 9개 섬들 중 이미 2개의 섬은 바다 속으로 가라앉은 상태이며, 나머지 섬들도 식물이 살 수 없는 곳이 되어가고 있다. 향후 40년 이내에 투발루의 국토는 모두 없어질 위기이다. 이 때문에 투발루 정부는 만여 명에 이르는 국민 전부를 인접 국가로 이주시키는 사업을 추진하고 있지만, 이웃국인 호주는 투발루의 단체 이민을 거부했고 뉴질랜드는 1년에 75명의 이민만을 허용하고 있을 뿐이다. 영국, 독일, 이탈리아, 벨기에 등 서유럽 국가들도 상황은 마찬가지다. 몰디브 역시 향후 50년 이내 수몰될 위기에 처해있다.
- 해수면 상승으로 국토가 상실되고 삶의 터전이 사라지고 있다. 도로가 침수되고 해안 저지대의 경우 다리 밑을 통과하지 못하는 배들이 생겨나고 있으며 넘치는 해수로 도로 바닥이 훼손되는 곳도 나타나고 있다.
- 국토의 70 %가 해수면보다 낮은 네덜란드는 해수면 상승으로 영토가 바다에 잠길 것을 우려하여 2100년까지 약 160조원을 방수공사와 바다의 제방과 강둑 유지에 투입하기로 결정했다.

안쌤이 추천하는
영재교육원 대비 1,2학년 로드맵

문제해결력

안쌤의 **창의적 문제해결력 수학** 안쌤의 **창의적 문제해결력 수학**

실전파이널

안쌤의 **창의적 문제해결력 파이널 수학, 과학 50제**

실전테스트

안쌤의 **창의적 문제해결력 모의고사 시리즈** 초등 1, 2학년

안쌤이 추천하는
영재교육원 대비 3,4학년 로드맵

개념+창의력

안쌤의 최상위 초등 줄기과학 시리즈 학기별 8강, 총 32강

문제해결력

안쌤의 창의적 문제해결력 시리즈 수학 8강, 과학 8강

실전테스트

안쌤의 창의적 문제해결력 시리즈 과학 50제, 수학 50제, 모의고사 4회

안쌤의 창의적 문제해결력 시리즈

초등 1~2 학년

초등 3~4 학년

초등 5~6 학년

중등 1~2 학년

안쌤의 창의적 문제해결력 시리즈

초등 1 · 2학년
안쌤의 창의적 문제해결력 수학 1 · 2학년
안쌤의 창의적 문제해결력 과학 1 · 2학년
안쌤의 창의적 문제해결력 파이널 50제 수학 1 · 2학년
안쌤의 창의적 문제해결력 파이널 50제 과학 1 · 2학년
안쌤의 창의적 문제해결력 모의고사 1 · 2학년 (수학 과학 공통)

초등 3 · 4학년
안쌤의 창의적 문제해결력 수학 3 · 4학년
안쌤의 창의적 문제해결력 과학 3 · 4학년
안쌤의 창의적 문제해결력 파이널 50제 수학 3 · 4학년
안쌤의 창의적 문제해결력 파이널 50제 과학 3 · 4학년
안쌤의 창의적 문제해결력 모의고사 3 · 4학년 (수학 과학 공통)

초등 5 · 6학년
안쌤의 창의적 문제해결력 수학 5 · 6학년
안쌤의 창의적 문제해결력 과학 5 · 6학년
안쌤의 창의적 문제해결력 파이널 50제 수학 5 · 6학년
안쌤의 창의적 문제해결력 파이널 50제 과학 5 · 6학년
안쌤의 창의적 문제해결력 모의고사 5 · 6학년 (수학 과학 공통)

중등 1 · 2학년
안쌤의 창의적 문제해결력 파이널 50제 수학 중등 1 · 2학년
안쌤의 창의적 문제해결력 파이널 50제 과학 중등 1 · 2학년
안쌤의 창의적 문제해결력 모의고사 중등 1 · 2학년 (수학 과학 공통)

매스티안

펴낸곳 ㈜타임교육 **펴낸이** 이길호 **지은이** 안재범, 최은화, 이상호, 강미선, 변희원, 신혜진, 유나영
주소 서울특별시 성동구 성수동2가 281-4 푸조비즈타워 5층 **연락처** 02-3480-6626
디자인 ㈜링크커뮤니케이션즈
팩토카페 http://cafe.naver.com/factos
안쌤카페 http://cafe.naver.com/xmrahrrhrhghkr(안쌤 영재교육연구소)

영재교육원 영재학급 관찰추천제 대비

안쌤의 「창의적 문제 해결력」 수학 과학 공통

모의고사

1 모의고사[4회]

- 최근 시행된 전국 관찰추천제 **기출 완벽 분석 및 반영**
- 서울권 창의적 문제해결력 **평가 대비**
- 영재성검사, 학문적성검사, **창의적 문제해결력 검사 대비**

2 평가 가이드 및 부록

- 영역별 점수에 따른 **학습 방향 제시와 차별화된 평가 가이드 수록**
- 2015 창의적 문제해결력 평가와 면접 기출유형 및 예시답안이 포함된 **관찰추천제 사용설명서 수록**